bibliocollège

Les Fourberies de Scapin

Molière

Notes, questionnaires et Dossier Bibliocollège
par Anne-France GRENON,
agrégée de Lettres modernes,
professeur en collège

Texte conforme à l'édition des Grands Écrivains de la France

Crédits photographiques

pp. 5-6 : photo Hachette Livre. **pp. 8, 39, 82 :** gravure pour la scène 3, acte II, bibliothèque de l'Arsenal, Paris, photo Hachette Livre. **p. 13 :** photo Henri Manuel, photothèque Hachette Livre. p. 15 : dessin colorié, bibliothèque de l'Arsenal, fonds Rondel, Paris, photo Hachette Livre. **pp. 47, 53 :** photos Bernand. **p. 64 :** photo Hachette Livre. **pp. 78, 89, 91, 100, 101, 116 :** photos Bernand. **p. 125 :** portrait de Molière, copie par Jean-Baptiste Mauzaisse d'une peinture de Noël Coypel, musée de Versailles, photo Hachette Livre. **p. 133 :** photothèque Hachette Livre. **p. 134 :** photo Hachette Livre.

Conception graphique

Couverture : Laurent Carré

Intérieur : *ELSE*

Mise en page

Médiamax

Illustration des questionnaires

Harvey Stevenson

ISBN : 978-2-01-167838-2

Sommaire

Introduction

Argante, le père d'Octave, rentre de voyage et annonce qu'il a choisi une épouse pour son fils. Mais celui-ci, pendant l'absence de son père, s'est épris d'une jeune fille, Hyacinte, qu'il a épousée. Il demande au valet Scapin, qui a plus d'un tour dans son sac, de lui venir en aide pour l'annoncer à Argante dont il redoute la colère. Par ailleurs, l'ami d'Octave, Léandre, se trouve dans une situation comparable. En effet, lui-même aime une jeune bohémienne, Zerbinette, qu'il a demandée en mariage sans y être autorisé par son père. Du coup, lui aussi se trouve devoir compter sur l'ingéniosité de Scapin. Ce sont donc les astuces, les fourberies, qu'invente Scapin pour persuader les deux pères de ne pas contrarier les amours de leurs fils, que vous allez découvrir dans cette pièce.

Gravure pour l'acte III, scène 2 des *Fourberies de Scapin*.

Lorsque Molière crée la pièce en mai 1671, au Palais-Royal (l'actuelle Comédie-Française), elle remporte un faible succès et ne sera jouée que dix-huit fois du vivant de l'auteur. À cela deux explications possibles. Tout d'abord, les acteurs portaient un masque et jouaient à la manière des acteurs italiens. Cela ne correspondait pas aux habitudes du public parisien, qui a été surpris plus que séduit. Ensuite, la scène du Palais-Royal était en travaux. Molière y faisait installer quantité de machines nécessaires à la représentation de *Psyché*, la « superproduction » qu'il avait créée en janvier à la cour de Versailles et qu'il voulait monter à Paris. En attendant, la scène était réduite, les décors très simples et les spectateurs, privés des effets spéciaux dont ils raffolaient, croyaient voir une pièce donnée uniquement pour les faire patienter, jusqu'à ce que tout fût en place pour *Psyché*. À l'heure actuelle, *Psyché* est oubliée, tandis que *Les Fourberies* est l'une des pièces les plus jouées du répertoire théâtral français.

Les Fourberies est une pièce courte, imaginée par Molière dans l'unique souci de faire rire. Pour le public du XVIIe siècle, c'était avant tout une farce, dans le goût de celles que jouaient, à l'époque, les comédiens de la *commedia dell'arte* ou les comédiens qui se produisaient dans les foires et sur les places publiques. Pour nous, lecteurs-spectateurs du XXe siècle, qui ne connaissons pas, ou moins bien, ces pratiques théâtrales, *Les Fourberies de Scapin* n'en reste pas moins une farce, et les différents tours que Scapin, à grand renfort de malice, de mensonges et de coups de bâton, réalise pour tromper les uns et les autres n'ont pas vieilli : nous rions toujours et nous pouvons voir dans ce joyeux et sympathique fourbe qu'est Scapin un complice de Charlot ou des Marx Brothers.

PERSONNAGES

ARGANTE : père d'Octave et de Zerbinette.

CARLE : fourbe.

GÉRONTE : père de Léandre et de Hyacinte.

LÉANDRE : fils de Géronte ; amant de Zerbinette.

OCTAVE : fils d'Argante ; amant de Hyacinte.

ZERBINETTE : prétendue Égyptienne et reconnue comme fille d'Argante ; amante de Léandre.

HYACINTE : fille de Géronte ; amante d'Octave.

SCAPIN : valet de Léandre ; fourbe.

SYLVESTRE : valet d'Octave.

NÉRINE : nourrice de Hyacinte.

DEUX PORTEURS.

La scène est à Naples.

Scène 1

OCTAVE, SYLVESTRE

OCTAVE – Ah ! fâcheuses[1] nouvelles pour un cœur amoureux ! Dures extrémités[2] où je me vois réduit ! Tu viens, Sylvestre, d'apprendre au port que mon père revient ?

SYLVESTRE – Oui.

5 OCTAVE – Qu'il arrive ce matin même ?

SYLVESTRE – Ce matin même.

OCTAVE – Et qu'il revient dans la résolution de me marier ?

SYLVESTRE – Oui.

10 OCTAVE – Avec une fille du seigneur Géronte ?

SYLVESTRE – Du seigneur Géronte.

notes

1. ***fâcheuses :*** mauvaises.

2. ***dures extrémités :*** situation excessivement difficile.

OCTAVE – Et que cette fille est mandée[1] de Tarente[2] ici pour cela ?

SYLVESTRE – Oui.

15 OCTAVE – Et tu tiens ces nouvelles de mon oncle ?

SYLVESTRE – De votre oncle.

OCTAVE – À qui mon père les a mandées[3] par une lettre ?

SYLVESTRE – Par une lettre.

OCTAVE – Et cet oncle, dis-tu, sait toutes nos affaires ?

20 SYLVESTRE – Toutes nos affaires.

OCTAVE – Ah ! parle, si tu veux, et ne te fais point, de la sorte, arracher les mots de la bouche.

SYLVESTRE – Qu'ai-je à parler davantage ? Vous n'oubliez aucune circonstance, et vous dites les choses tout justement
25 comme elles sont.

OCTAVE – Conseille-moi, du moins, et me dis ce que je dois faire dans ces cruelles conjonctures[4].

SYLVESTRE – Ma foi ! je m'y trouve autant embarrassé que vous, et j'aurais bon besoin que l'on me conseillât moi-
30 même.

OCTAVE – Je suis assassiné[5] par ce maudit retour.

SYLVESTRE – Je ne le suis pas moins.

OCTAVE – Lorsque mon père apprendra les choses, je vais voir fondre[6] sur moi un orage soudain d'impétueuses
35 réprimandes[7].

notes

1. mandée : appelée.

2. Tarente : ville portuaire de l'Italie du Sud.

3. mandées : apprises.

4. cruelles conjonctures : circonstances difficiles.

5. assassiné : désespéré.

6. fondre : s'abattre.

7. impétueuses réprimandes : violents reproches.

SYLVESTRE – Les réprimandes ne sont rien ; et plût au Ciel que j'en fusse quitte à ce prix ! mais j'ai bien la mine, pour moi, de payer[1] plus cher vos folies, et je vois se former de loin un nuage de coups de bâton qui crèvera sur mes
40 épaules.

OCTAVE – Ô Ciel ! par où sortir de l'embarras[2] où je me trouve ?

SYLVESTRE – C'est à quoi vous deviez songer avant que de vous y jeter.

45 OCTAVE – Ah ! tu me fais mourir par tes leçons hors de saison[3].

SYLVESTRE – Vous me faites bien plus mourir par vos actions étourdies.

OCTAVE – Que dois-je faire ? Quelle résolution prendre ? À
50 quel remède recourir ?

Scène 2

SCAPIN, OCTAVE, SYLVESTRE

SCAPIN – Qu'est-ce, seigneur Octave, qu'avez-vous ? Qu'y a-t-il ? Quel désordre est-ce là ? Je vous vois tout troublé.

OCTAVE – Ah ! mon pauvre Scapin, je suis perdu, je suis désespéré, je suis le plus infortuné[4] de tous les hommes.

5 SCAPIN – Comment ?

OCTAVE – N'as-tu rien appris de ce qui me regarde[5] ?

notes

1. ***j'ai bien la mine, pour moi, de payer :*** j'ai bien l'air de quelqu'un qui paiera.

2. ***embarras :*** difficulté.

3. ***hors de saison :*** qui ne viennent pas à propos.

4. ***infortuné :*** malchanceux.

5. ***de ce qui me regarde :*** en ce qui me concerne.

SCAPIN – Non.

OCTAVE – Mon père arrive avec le seigneur Géronte, et ils me veulent marier.

10 SCAPIN – Hé bien ! qu'y a-t-il là de si funeste[1] ?

OCTAVE – Hélas ! tu ne sais pas la cause de mon inquiétude ?

SCAPIN – Non ; mais il ne tiendra qu'à vous que je ne la sache bientôt ; et je suis homme consolatif[2], homme à m'intéresser aux affaires des jeunes gens.

15 OCTAVE – Ah ! Scapin, si tu pouvais trouver quelque invention, forger quelque machine[3], pour me tirer de la peine[4] où je suis, je croirais t'être redevable de plus que de la vie.

SCAPIN – À vous dire la vérité, il y a peu de choses qui me soient impossibles, quand je m'en veux mêler. J'ai sans 20 doute reçu du Ciel un génie[5] assez beau pour toutes les fabriques de ces gentillesses d'esprit[6], de ces galanteries ingénieuses[7], à qui le vulgaire ignorant[8] donne le nom de fourberies ; et je puis dire, sans vanité, qu'on n'a guère vu d'homme qui fût plus habile ouvrier de ressorts et 25 d'intrigues[9], qui ait acquis plus de gloire que moi dans ce noble métier : mais, ma foi ! le mérite est trop maltraité aujourd'hui, et j'ai renoncé à toutes choses depuis certain chagrin[10] d'une affaire qui m'arriva.

OCTAVE – Comment ? quelle affaire, Scapin ?

30 SCAPIN – Une aventure où je me brouillai avec la justice.

notes

1. funeste : désespérant.

2. consolatif : consolateur.

3. forger quelque machine : inventer une ruse.

4. la peine : la difficulté.

5. un génie : un don, un talent.

6. les fabriques de ces gentillesses d'esprit : l'invention de tours astucieux.

7. ces galanteries ingénieuses : ces tours adroits et pleins d'imagination.

8. le vulgaire ignorant : les gens ignorants.

9. ouvrier de ressorts et d'intrigues : auteur de machinations et d'histoires compliquées.

10. chagrin : ennui.

OCTAVE – La justice !

SCAPIN – Oui, nous eûmes un petit démêlé[1] ensemble.

SYLVESTRE – Toi et la justice ?

SCAPIN – Oui. Elle en usa fort mal[2] avec moi, et je me
35 dépitai de telle sorte[3] contre l'ingratitude du siècle[4] que je résolus de ne plus rien faire. Baste[5]. Ne laissez pas de[6] me conter votre aventure.

OCTAVE – Tu sais, Scapin, qu'il y a deux mois que le seigneur Géronte et mon père s'embarquèrent ensemble pour un
40 voyage qui regarde certain commerce où leurs intérêts sont mêlés.

SCAPIN – Je sais cela.

OCTAVE – Et que Léandre et moi nous fûmes laissés par nos pères, moi sous la conduite de[7] Sylvestre, et Léandre sous
45 ta direction.

SCAPIN – Oui : je me suis fort bien acquitté de ma charge.

OCTAVE – Quelque temps après, Léandre fit rencontre d'une jeune Égyptienne[8] dont il devint amoureux.

SCAPIN – Je sais cela encore.

50 OCTAVE – Comme nous sommes grands amis, il me fit aussitôt confidence de son amour et me mena voir cette fille, que je trouvai belle à la vérité, mais non pas tant qu'il voulait que je la trouvasse. Il ne m'entretenait que d'elle chaque jour, m'exagérait à tous moments sa beauté et sa
55 grâce, me louait son esprit et me parlait avec transport[9] des

notes

1. ***démêlé :*** désaccord.
2. ***elle en usa fort mal :*** elle se comporta très mal.
3. ***je me dépitai de telle sorte :*** je fus tellement en colère.
4. ***siècle :*** monde.
5. ***baste :*** suffit.
6. ***ne laissez pas de :*** ne renoncez pas à.
7. ***sous la conduite de :*** sous la responsabilité de.
8. ***Égyptienne :*** bohémienne.
9. ***avec transport :*** avec passion.

Jacques Copeau (1879-1949) dans le rôle de Scapin. Mise en scène de Copeau au théâtre du Vieux-Colombier (1920).

charmes de son entretien[1], dont il me rapportait jusqu'aux moindres paroles, qu'il s'efforçait toujours de me faire trouver les plus spirituelles[2] du monde. Il me querellait quelquefois de n'être pas assez sensible aux choses qu'il me
60 venait dire, et me blâmait sans cesse de l'indifférence où j'étais pour les feux de l'amour.

SCAPIN – Je ne vois pas encore où ceci veut aller.

OCTAVE – Un jour que je l'accompagnais pour aller chez les gens qui gardent l'objet de ses vœux[3], nous entendîmes,
65 dans une petite maison d'une rue écartée, quelques plaintes mêlées de beaucoup de sanglots. Nous demandons ce que c'est. Une femme nous dit, en soupirant, que nous pouvions voir là quelque chose de pitoyable en des personnes étrangères, et qu'à moins d'être insensibles, nous en serions
70 touchés.

SCAPIN – Où est-ce que cela nous mène ?

OCTAVE – La curiosité me fit presser Léandre de voir ce que c'était. Nous entrons dans une salle, où nous voyons une vieille femme mourante, assistée d'une servante qui faisait
75 des regrets[4], et d'une jeune fille toute fondante en larmes, la plus belle et la plus touchante qu'on puisse jamais voir.

SCAPIN – Ah, ah !

OCTAVE – Une autre aurait paru effroyable en l'état où elle était, car elle n'avait pour habillement qu'une méchante[5]
80 petite jupe, avec des brassières[6] de nuit qui étaient de simple futaine[7], et sa coiffure était une cornette[8] jaune,

notes

1. entretien : conversation.

2. spirituelles : intelligentes.

3. l'objet de ses vœux : la jeune fille qu'il aime.

4. qui faisait des regrets : qui exprimait son chagrin par des lamentations.

5. méchante : de mauvaise qualité.

6. brassières : chemises de femme à manches longues.

7. futaine : tissu de fil et de coton.

8. cornette : bonnet de nuit pour les femmes.

Marie-Maurice de Féraudy (1859-1932), sociétaire de la Comédie-Française, dans le rôle de Scapin.

retroussée au haut de sa tête, qui laissait tomber en désordre ses cheveux sur ses épaules ; et cependant, faite comme cela, elle brillait de mille attraits, et ce n'était qu'agréments
85 et que charmes que toute sa personne.

SCAPIN – Je sens venir les choses.

OCTAVE – Si tu l'avais vue, Scapin, en l'état que je dis, tu l'aurais trouvée admirable.

SCAPIN – Oh ! je n'en doute point ; et, sans l'avoir vue, je vois
90 bien qu'elle était tout à fait charmante.

OCTAVE – Ses larmes n'étaient point de ces larmes désagréables qui défigurent un visage ; elle avait à pleurer une grâce touchante, et sa douleur était la plus belle du monde.

SCAPIN – Je vois tout cela.

95 OCTAVE – Elle faisait fondre chacun en larmes, en se jetant amoureusement[1] sur le corps de cette mourante, qu'elle appelait sa chère mère, et il n'y avait personne qui n'eût l'âme percée de voir un si bon naturel[2].

SCAPIN – En effet, cela est touchant, et je vois bien que ce
100 bon naturel-là vous la fit aimer.

OCTAVE – Ah ! Scapin, un barbare[3] l'aurait aimée.

SCAPIN – Assurément : le moyen de s'en empêcher ?

OCTAVE – Après quelques paroles, dont je tâchai d'adoucir la douleur de cette charmante affligée, nous sortîmes de là ;
105 et demandant à Léandre ce qu'il lui semblait de cette personne, il me répondit froidement qu'il la trouvait assez jolie. Je fus piqué[4] de la froideur avec laquelle il m'en

notes

1. amoureusement : avec une grande affection.

2. un si bon naturel : un caractère si tendre.

3. un barbare : un homme doté d'un cœur insensible.

4. piqué : vexé.

parlait, et je ne voulus point lui découvrir l'effet que ses beautés avaient fait sur mon âme.

110 SYLVESTRE, *à Octave* – Si vous n'abrégez ce récit, nous en voilà pour jusqu'à demain. Laissez-le-moi finir en deux mots. *(À Scapin.)* Son cœur prend feu dès ce moment. Il ne saurait plus vivre, qu'il n'aille consoler son aimable[1] affligée. Ses fréquentes visites sont rejetées de la servante, deve-
115 nue la gouvernante par le trépas[2] de la mère : voilà mon homme au désespoir. Il presse, supplie, conjure[3] : point d'affaire[4]. On lui dit que la fille, quoique sans bien et sans appui[5], est de famille honnête et qu'à moins que de l'épouser, on ne peut souffrir[6] ses poursuites[7]. Voilà son
120 amour augmenté par les difficultés. Il consulte dans sa tête[8], agite, raisonne, balance[9], prend sa résolution : le voilà marié avec elle depuis trois jours.

SCAPIN – J'entends[10].

SYLVESTRE – Maintenant, mets avec cela le retour imprévu
125 du père, qu'on n'attendait que dans deux mois ; la découverte que l'oncle a faite du secret de notre mariage, et l'autre mariage qu'on veut faire de lui avec la fille que le seigneur Géronte a eue d'une seconde femme qu'on dit qu'il a épousée à Tarente.

130 OCTAVE – Et par-dessus tout cela, mets encore l'indigence[11] où se trouve cette aimable personne et l'impuissance où je me vois d'avoir de quoi la secourir.

notes

1. aimable : digne d'être aimée.

2. trépas : décès.

3. conjure : supplie au nom de ce qu'il y a de plus sacré.

4. point d'affaire : rien à faire, en pure perte.

5. sans appui : sans protection.

6. souffrir : supporter, tolérer.

7. poursuites : la cour qu'il vient lui faire.

8. il consulte dans sa tête : il réfléchit.

9. balance : hésite.

10. j'entends : je comprends.

11. indigence : pauvreté.

SCAPIN – Est-ce là tout ? Vous voilà bien embarrassés tous deux pour une bagatelle[1]. C'est bien là de quoi se tant alar-
135 mer. N'as-tu point de honte, toi, de demeurer court[2] à si peu de chose ? Que diable ! te voilà grand et gros comme père et mère, et tu ne saurais trouver dans ta tête, forger dans ton esprit quelque ruse galante[3], quelque honnête[4] petit stratagème[5], pour ajuster vos affaires ? Fi ! peste soit
140 du butor ! Je voudrais bien que l'on m'eût donné autrefois nos vieillards à duper ; je les aurais joués tous deux par-dessous la jambe[6], et je n'étais pas plus grand que cela que je me signalais déjà par cent tours d'adresse jolis[7].

SYLVESTRE – J'avoue que le Ciel ne m'a pas donné tes talents,
145 et que je n'ai pas l'esprit, comme toi, de me brouiller avec la justice.

OCTAVE – Voici mon aimable Hyacinte.

notes

1. une bagatelle : un rien.

2. demeurer court : ne pas savoir quoi faire.

3. ruse galante : tour amusant.

4. honnête : digne d'être considéré.

5. stratagème : manœuvre bien organisée.

6. jouer quelqu'un par-dessous la jambe : tromper. Image probablement empruntée au jeu de paume.

7. jolis : remarquables.

Au fil du texte

Questions sur l'acte I, scène 2 (pages 10 à 18)

QUE S'EST-IL PASSÉ ENTRE-TEMPS ?

1. Comment se présente la situation avant que Scapin paraisse ?

AVEZ-VOUS BIEN LU ?

2. Quel changement entraîne l'arrivée de Scapin ?

3. Que fait Scapin dans le passage des lignes 5 à 37 ?

4. En vous aidant du texte des lignes 38 à 109, faites correspondre chaque élément précédé d'une lettre à un élément précédé d'un chiffre, et reconstituez les phrases.

a) « Tu sais, Scapin, qu'il y a deux mois que le seigneur Géronte et mon père s'embarquèrent ensemble
b) « Quelque temps après, Léandre fit rencontre d'une
c) « Il me querellait quelquefois de n'être pas assez sensible aux choses qu'il me venait dire, et
d) « Un jour que je l'accompagnais pour aller chez les gens qui gardent l'objet de ses vœux,
e) « Nous entrons dans une salle, où nous voyons une vieille femme mourante, assistée d'une servante qui faisait des regrets, et
f) « Je fus piqué de la froideur avec laquelle il m'en parlait, et

1. je ne voulus point lui découvrir l'effet que ses beautés avaient fait sur mon âme. »
2. me blâmait sans cesse de l'indifférence où j'étais pour les feux de l'amour. »
3. d'une jeune fille toute fondante en larmes, la plus belle et la plus touchante qu'on puisse jamais voir. »

4. pour un voyage qui regarde certain commerce où leurs intérêts sont mêlés. »
5. jeune Égyptienne dont il devint amoureux. »
6. nous entendîmes, dans une petite maison d'une rue écartée, quelques plaintes mêlées de beaucoup de sanglots. »

5. Pourquoi Sylvestre achève-t-il le récit d'Octave (l. 110 jusqu'à la fin de la scène) ?

ÉTUDIER LE VOCABULAIRE

6. Cochez le ou les mots qui peuvent remplacer celui qui est souligné dans la phrase par un trait, sans en changer le sens.
« il y a peu de choses qui me soient impossibles, quand je m'en veux mêler » (l. 18-19)

☐ exploits ☐ crimes
☐ solutions ☐ affaires

7. Faites le même exercice pour le mot souligné en pointillés.

☐ occuper ☐ désintéresser
☐ donner la peine ☐ satisfaire

8. Repérez le passage où apparaît le nom *« fourberies »*. Quelle définition Scapin en donne-t-il ?

ÉTUDIER LE DISCOURS

9. Que fait Scapin dans le passage de la ligne 12 à la ligne 28 ? Cochez la réponse.

☐ Il raconte une histoire.
☐ Il décrit son caractère.

10. Cochez la question à laquelle répond la phrase que vous venez de choisir.
☐ Que t'est-il arrivé, Scapin ?
☐ Quelle sorte d'homme es-tu, Scapin ?

11. Ces propos de Scapin vous ont-ils renseigné sur le caractère ou sur l'histoire de Scapin ?

12. Que fait Octave dans le passage de la ligne 38 à la ligne 109 ? Cochez la réponse.
☐ Il raconte une histoire.
☐ Il décrit son caractère.

13. Cochez la question à laquelle répond la phrase que vous venez de choisir.
☐ Que vous est-il arrivé, seigneur Octave ?
☐ Quelle sorte d'homme êtes-vous, seigneur Octave ?

14. Ces propos d'Octave vous ont-ils renseigné sur le caractère ou sur l'histoire d'Octave ?

À vos plumes

15. *« Si vous n'abrégez ce récit, nous en voilà pour jusqu'à demain. Laissez-le-moi finir en deux mots »* (l. 110-112).
En 15-20 lignes écrivez une histoire différente de celle racontée par Sylvestre, sachant que, pour finir, Octave et Hyacinte doivent être mariés.

Lire l'image

16. En quoi les deux images de Scapin, pages 13 et 15 se ressemblent-elles ? En quoi diffèrent-elles ? Quelle est celle qui correspond le plus à l'idée que vous vous faites du personnage ?

Scène 3

HYACINTE, OCTAVE, SCAPIN, SYLVESTRE

HYACINTE – Ah ! Octave, est-il vrai ce que Sylvestre vient de dire à Nérine ? que votre père est de retour et qu'il veut vous marier ?

OCTAVE – Oui, belle Hyacinte, et ces nouvelles m'ont donné 5 une atteinte[1] cruelle. Mais que vois-je ? vous pleurez ! Pourquoi ces larmes ? Me soupçonnez-vous, dites-moi, de quelque infidélité, et n'êtes-vous pas assurée de l'amour que j'ai pour vous ?

HYACINTE – Oui, Octave, je suis sûre que vous m'aimez ; 10 mais je ne le suis pas que vous m'aimiez toujours.

OCTAVE – Eh ! peut-on vous aimer qu'on ne vous aime toute sa vie ?

HYACINTE – J'ai ouï dire, Octave, que votre sexe aime moins longtemps que le nôtre, et que les ardeurs[2] que les hommes 15 font voir sont des feux qui s'éteignent aussi facilement qu'ils naissent.

OCTAVE – Ah ! ma chère Hyacinte, mon cœur n'est donc pas fait comme celui des autres hommes, et je sens bien, pour moi, que je vous aimerai jusqu'au tombeau.

20 HYACINTE – Je veux croire que vous sentez ce que vous dites, et je ne doute point que vos paroles ne soient sincères ; mais je crains un pouvoir[3] qui combattra dans votre cœur les tendres sentiments que vous pouvez avoir pour moi. Vous dépendez d'un père, qui veut vous marier à une autre per- 25 sonne ; et je suis sûre que je mourrai, si ce malheur m'arrive.

notes

1. ***atteinte :*** coup.
2. ***les ardeurs :*** l'amour.
3. ***un pouvoir :*** l'autorité paternelle.

OCTAVE – Non, belle Hyacinte, il n'y a point de père qui puisse me contraindre à vous manquer de foi[1], et je me résoudrai à quitter mon pays, et le jour même, s'il est besoin, plutôt qu'à vous quitter. J'ai déjà pris, sans l'avoir
30 vue, une aversion[2] effroyable pour celle que l'on me destine ; et, sans être cruel, je souhaiterais que la mer l'écartât d'ici pour jamais. Ne pleurez donc point, je vous prie, mon aimable Hyacinte, car vos larmes me tuent, et je ne les puis voir sans me sentir percer le cœur.

35 HYACINTE – Puisque vous le voulez, je veux bien essuyer mes pleurs, et j'attendrai d'un œil constant[3] ce qu'il plaira au Ciel de résoudre[4] de moi.

OCTAVE – Le Ciel nous sera favorable.

HYACINTE – Il ne saurait m'être contraire, si vous m'êtes fidèle.

40 OCTAVE – Je le serai assurément.

HYACINTE – Je serai donc heureuse.

SCAPIN, *à part* – Elle n'est pas tant sotte, ma foi ! et je la trouve assez passable[5].

OCTAVE, *montrant Scapin* – Voici un homme qui pourrait
45 bien, s'il le voulait, nous être, dans tous nos besoins, d'un secours merveilleux.

SCAPIN – J'ai fait de grands serments de ne me mêler plus du monde ; mais, si vous m'en priez bien fort tous deux, peut-être...

50 OCTAVE – Ah ! s'il ne tient qu'à te prier bien fort pour obtenir ton aide, je te conjure de tout mon cœur de prendre la conduite de notre barque.

notes

1. *à vous manquer de foi* : à trahir la parole que je vous ai donnée.

2. *aversion* : haine.

3. *d'un œil constant* : en montrant patience et fermeté.

4. *résoudre* : décider.

5. *passable* : qui mérite d'être remarquée.

SCAPIN, *à Hyacinte* – Et vous, ne me dites-vous rien ?

HYACINTE – Je vous conjure, à son exemple, par tout ce qui
55 vous est le plus cher au monde, de vouloir servir notre amour.

SCAPIN – Il faut se laisser vaincre et avoir de l'humanité[1]. Allez, je veux m'employer pour vous.

OCTAVE – Crois que...

60 SCAPIN – Chut ! *(À Hyacinte.)* Allez-vous-en, vous, et soyez en repos. *(À Octave.)* Et vous, préparez-vous à soutenir avec fermeté l'abord[2] de votre père.

OCTAVE – Je t'avoue que cet abord me fait trembler par avance, et j'ai une timidité[3] naturelle que je ne saurais
65 vaincre.

SCAPIN – Il faut pourtant paraître ferme au premier choc de peur que, sur votre faiblesse, il ne prenne le pied de[4] vous mener comme un enfant. Là, tâchez de vous composer par étude[5]. Un peu de hardiesse, et songez à répondre résolu-
70 ment sur tout ce qu'il pourra vous dire.

OCTAVE – Je ferai du mieux que je pourrai.

SCAPIN – Çà, essayons un peu, pour vous accoutumer. Répétons un peu votre rôle et voyons si vous ferez bien. Allons. La mine résolue, la tête haute, les regards assurés.

75 OCTAVE – Comme cela ?

SCAPIN – Encore un peu davantage.

OCTAVE – Ainsi ?

SCAPIN – Bon. Imaginez-vous que je suis votre père qui

notes

1. avoir de l'humanité : être sensible au malheur des autres.

2. l'abord : la rencontre.

3. timidité : manque d'assurance, de confiance en soi.

4. il ne prenne le pied de : il n'en profite pour.

5. de vous composer par étude : de travailler à vous donner une autre apparence.

arrive, et répondez-moi fermement, comme si c'était à lui-
80 même. « Comment ! pendard, vaurien, infâme, fils indigne d'un père comme moi, oses-tu bien paraître devant mes yeux, après tes bons déportements[1], après le lâche tour que tu m'as joué pendant mon absence ? Est-ce là le fruit de mes soins, maraud[2] ? est-ce là le fruit[3] de mes soins ? le
85 respect qui m'est dû ? le respect que tu me conserves ? » Allons donc ! « Tu as l'insolence, fripon, de t'engager sans le consentement de ton père, de contracter un mariage clandestin ? Réponds-moi coquin, réponds-moi. Voyons un peu tes belles raisons. » Oh ! que diable ! vous demeurez
90 interdit[4] !

OCTAVE – C'est que je m'imagine que c'est mon père que j'entends.

SCAPIN – Eh ! oui. C'est par cette raison qu'il ne faut pas être comme un innocent[5].

95 OCTAVE – Je m'en vais prendre plus de résolution, et je répondrai fermement.

SCAPIN – Assurément ?

OCTAVE – Assurément.

SYLVESTRE – Voilà votre père qui vient.

100 OCTAVE, *s'enfuyant* – Ô Ciel ! je suis perdu !

SCAPIN – Holà ! Octave, demeurez, Octave ! Le voilà enfui. Quelle pauvre espèce d'homme ! Ne laissons pas d'attendre le vieillard.

SYLVESTRE – Que lui dirai-je ?

105 SCAPIN – Laisse-moi dire, moi, et ne fais que me suivre.

notes

1. déportements : écarts de conduite.

2. maraud : mendiant, filou.

3. fruit : résultat.

4. interdit : sans voix.

5. innocent : nigaud, niais.

Au fil du texte

Questions sur l'acte I, scène 3 (pages 22 à 25)

QUE S'EST-IL PASSÉ ENTRE-TEMPS ?

1. « *J'ai fait de grands serments de ne me mêler plus du monde ; mais si vous m'en priez bien fort tous deux, peut-être...* » déclare Scapin à Octave (l. 47-49). Relevez dans la scène 2 le passage qui permet de comprendre cette déclaration.

AVEZ-VOUS BIEN LU ?

2. Décomposez cette scène en deux parties et donnez-leur un titre.

3. Répondez à chaque question en mettant une croix dans la case VRAI ou FAUX.

	VRAI	FAUX
a) Hyacinte est en larmes parce qu'elle redoute qu'Octave obéisse à son père, épouse la jeune fille que celui-ci lui destine et cesse de l'aimer.	☐	☐
b) Les réponses d'Octave ne sont pas de nature à rassurer Hyacinte.	☐	☐
c) Le dialogue entre Octave et Hyacinte est un dialogue amoureux.	☐	☐
d) Scapin ne cesse d'interrompre les deux jeunes gens.	☐	☐

4. Dans les répliques de Scapin (l. 61 à 90), trouvez deux phrases synonymes de l'expression suivante : « *Répétons un peu votre rôle* » (l. 73).

5. Quel est le rôle que joue Scapin (l. 61 à 90) ? Cochez la réponse qui vous paraît la plus juste.

☐ le rôle d'Argante
☐ le rôle de directeur d'acteurs
☐ le rôle d'un valet insolent

ÉTUDIER LA GRAMMAIRE

6. Étudiez les quatre phrases ci-dessous à l'aide des questions qui suivent. Inscrivez à côté de chaque numéro de phrase la lettre de la réponse qui convient.

1) « Il faut pourtant paraître ferme au premier choc » (l. 66).
2) « Imaginez-vous que je suis votre père [...]*, et répondez-moi fermement »* (l . 78-79).
3) « Est-ce là le fruit de mes soins ? » (l. 84).
4) « Oh ! que diable ! vous demeurez interdit ! » (l. 89-90).

Que fait Scapin, lorsqu'il prononce cette phrase ?
a) Il s'exclame.
b) Il pose une question à Octave.
c) Il donne son avis à Octave.
d) Il donne un ordre à Octave.

1) .... *2)* .... *3)* .... *4)* ....

7. À quel mode est le verbe dans ces phrases ?
a) subjonctif *b)* indicatif
c) impératif *d)* participe
e) gérondif

1) .... *2)* .... *3)* .... *4)* ....

8. Où est placé le sujet dans les phrases ci-dessus ?
a) avant le verbe *b)* après le verbe *c)* il n'y en a pas

1) .... *2)* .... *3)* .... *4)* ....

9. Quel est le type de chacune des phrases ci-dessus ?

a) déclarative *b)* interrogative
c) impérative *d)* exclamative

1) .... *2)* .... *3)* .... *4)* ....

10. Quel est le seul type de phrase qui ne soit pas représenté aux lignes 78 à 90 ? À votre avis, pourquoi ?

À vos plumes !

11. *« Voilà votre père qui vient »* (l. 99). Imaginez le dialogue qui aurait pu avoir lieu entre le père et le fils si Octave ne s'était pas enfui. Tous les types de phrase doivent y être représentés.

Mise en scène

12. Jouez avec un camarade la réplique de Scapin des lignes 78 à 90. Imaginez l'attitude et les expressions d'Octave pendant que Scapin parle.

Scène 4

ARGANTE, SCAPIN, SYLVESTRE

ARGANTE, *se croyant seul* – A-t-on jamais ouï parler d'une action pareille à celle-là ?

SCAPIN, *à Sylvestre* – Il a déjà appris l'affaire, et elle lui tient si fort en tête, que tout seul il en parle haut.

5 ARGANTE, *se croyant seul* – Voilà une témérité[1] bien grande !

SCAPIN, *à Sylvestre* – Écoutons-le un peu.

ARGANTE, *se croyant seul* – Je voudrais bien savoir ce qu'ils me pourront dire sur ce beau mariage.

SCAPIN, *à part* – Nous y avons songé.

10 ARGANTE, *se croyant seul* – Tâcheront-ils de me nier la chose ?

SCAPIN, *à part* – Non, nous n'y pensons pas.

ARGANTE, *se croyant seul* – Ou s'ils entreprendront de l'excuser ?

SCAPIN, *à part* – Celui-là se pourra faire.

ARGANTE, *se croyant seul* – Prétendront-ils m'amuser par des 15 contes en l'air[2] ?

SCAPIN, *à part* – Peut-être.

ARGANTE, *se croyant seul* – Tous leurs discours seront inutiles.

SCAPIN, *à part* – Nous allons voir.

ARGANTE, *se croyant seul* – Ils ne m'en donneront point à 20 garder[3].

SCAPIN, *à part* – Ne jurons de rien.

ARGANTE, *se croyant seul* – Je saurai mettre mon pendard[4] de fils en lieu de sûreté[5].

notes

1. témérité : audace.

2. des contes en l'air : des histoires à dormir debout.

3. ils ne m'en donneront point à garder : ils ne me feront pas croire n'importe quoi.

4. pendard : vaurien.

5. en lieu de sûreté : dans l'esprit d'Argante, en prison.

SCAPIN, *à part* – Nous y pourvoirons[1].

25 ARGANTE, *se croyant seul* – Et pour le coquin de Sylvestre, je le rouerai de coups.

SYLVESTRE, *à Scapin* – J'étais[2] bien étonné s'il m'oubliait.

ARGANTE, *apercevant Sylvestre* – Ah, ah ! vous voilà donc, sage gouverneur de famille, beau directeur de jeunes gens !

30 SCAPIN – Monsieur, je suis ravi de vous voir de retour.

ARGANTE – Bonjour, Scapin. *(À Sylvestre.)* Vous avez suivi mes ordres vraiment d'une belle manière, et mon fils s'est comporté fort sagement pendant mon absence !

SCAPIN – Vous vous portez bien, à ce que je vois ?

35 ARGANTE – Assez bien. *(À Sylvestre.)* Tu ne dis mot, coquin, tu ne dis mot !

SCAPIN – Votre voyage a-t-il été bon ?

ARGANTE – Mon Dieu ! fort bon. Laisse-moi un peu quereller en repos.

40 SCAPIN – Vous voulez quereller ?

ARGANTE – Oui, je veux quereller.

SCAPIN – Et qui, monsieur ?

ARGANTE, *montrant Sylvestre* – Ce maraud[3]-là.

SCAPIN – Pourquoi ?

45 ARGANTE – Tu n'as pas ouï parler de ce qui s'est passé dans mon absence ?

SCAPIN – J'ai bien ouï parler de quelque petite chose.

ARGANTE – Comment, quelque petite chose ! Une action de cette nature !

notes

1. nous y pourvoirons : nous ferons le nécessaire.

2. j'étais : j'aurais été.

3. maraud : mendiant, filou.

50 SCAPIN – Vous avez quelque raison.

ARGANTE – Une hardiesse pareille à celle-là ?

SCAPIN – Cela est vrai.

ARGANTE – Un fils qui se marie sans le consentement de son père ?

55 SCAPIN – Oui, il y a quelque chose à dire à cela. Mais je serais d'avis que vous ne fissiez point de bruit.

ARGANTE – Je ne suis pas de cet avis, moi, et je veux faire du bruit tout mon soûl[1]. Quoi ? tu ne trouves pas que j'aie tous les sujets du monde d'être en colère ?

60 SCAPIN – Si fait. J'y ai d'abord été, moi, lorsque j'ai su la chose, et je me suis intéressé pour vous[2], jusqu'à quereller votre fils. Demandez-lui un peu quelles belles réprimandes je lui ai faites, et comme je l'ai chapitré[3] sur le peu de respect qu'il gardait à un père dont il devait baiser les pas ?

65 On ne peut pas lui mieux parler, quand ce serait[4] vous-même. Mais quoi ? je me suis rendu à la raison, et j'ai considéré que, dans le fond, il n'a pas tant de tort qu'on pourrait croire.

ARGANTE – Que me viens-tu conter ? Il n'a pas tant de tort

70 de s'aller marier de but en blanc[5] avec une inconnue ?

SCAPIN – Que voulez-vous ? il y a été poussé par sa destinée.

ARGANTE – Ah, ah ! voici une raison la plus belle du monde. On n'a plus qu'à commettre tous les crimes imaginables, tromper, voler, assassiner, et dire pour excuse qu'on y a été

75 poussé par sa destinée.

notes

1. ***tout mon soûl :*** autant que je veux.

2. ***je me suis intéressé pour vous :*** j'ai pris votre parti.

3. ***je l'ai chapitré :*** je lui ai fait la leçon.

4. ***ce serait :*** cela aurait été.

5. ***de but en blanc :*** sans prévenir.

SCAPIN – Mon Dieu ! vous prenez mes paroles trop en philosophe. Je veux dire qu'il s'est trouvé fatalement engagé dans cette affaire.

ARGANTE – Et pourquoi s'y engageait-il ?

80 SCAPIN – Voulez-vous qu'il soit aussi sage que vous ? Les jeunes gens sont jeunes, et n'ont pas toute la prudence qu'il leur faudrait pour ne rien faire que de raisonnable : témoin notre Léandre, qui, malgré toutes mes leçons, malgré toutes mes remontrances, est allé faire, de son côté, pis 85 encore que votre fils. Je voudrais bien savoir si vous-même n'avez pas été jeune et n'avez pas, dans votre temps, fait des fredaines comme les autres. J'ai ouï dire, moi, que vous avez été autrefois un compagnon parmi les femmes[1], que vous faisiez de votre drôle[2] avec les plus galantes[3] de ce temps-90 là, et que vous n'en approchiez point que vous ne poussassiez à bout[4].

ARGANTE – Cela est vrai, j'en demeure d'accord ; mais je m'en suis toujours tenu à la galanterie, et je n'ai point été jusqu'à faire ce qu'il a fait.

95 SCAPIN – Que vouliez-vous qu'il fît ? Il voit une jeune personne qui lui veut du bien (car il tient cela de vous, d'être aimé de toutes les femmes). Il la trouve charmante. Il lui rend des visites, lui conte des douceurs, soupire galamment, fait le passionné. Elle se rend à sa poursuite[5]. Il 100 pousse sa fortune[6]. Le voilà surpris avec elle par ses parents, qui, la force à la main[7], le contraignent de l'épouser.

notes

1. un compagnon parmi les femmes : qui consacre beaucoup de temps à la fréquentation des femmes.

2. faire de son drôle : mener joyeuse vie.

3. galantes : femmes faciles.

4. que vous ne poussassiez à bout : que vous n'en obteniez les faveurs.

5. elle se rend à sa poursuite : elle accepte ses avances.

6. il pousse sa fortune : il profite de sa chance.

7. la force à la main : une arme à la main.

SYLVESTRE, *à part* – L'habile fourbe que voilà !

SCAPIN – Eussiez-vous voulu qu'il se fût laissé tuer ? Il vaut mieux encore être marié qu'être mort.

105 ARGANTE – On ne m'a pas dit que l'affaire se soit ainsi passée.

SCAPIN, *montrant Sylvestre* – Demandez-lui plutôt : il ne vous dira pas le contraire.

ARGANTE, *à Sylvestre* – C'est par force qu'il a été marié ?

110 SYLVESTRE – Oui, monsieur.

SCAPIN – Voudrais-je vous mentir ?

ARGANTE – Il devait donc aller tout aussitôt protester de violence[1] chez un notaire.

SCAPIN – C'est ce qu'il n'a pas voulu faire.

115 ARGANTE – Cela m'aurait donné plus de facilité à rompre ce mariage.

SCAPIN – Rompre ce mariage !

ARGANTE – Oui.

SCAPIN – Vous ne le romprez point.

120 ARGANTE – Je ne le romprai point ?

SCAPIN – Non.

ARGANTE – Quoi ? je n'aurai pas pour moi les droits de père, et la raison[2] de la violence qu'on a faite à mon fils ?

SCAPIN – C'est une chose dont il ne demeurera pas d'accord.

125 ARGANTE – Il n'en demeurera pas d'accord ?

notes

1. ***protester de violence :*** faire appel à la justice pour avoir été obligé d'agir sous la contrainte.

2. ***la raison :*** la réparation.

SCAPIN – Non.

ARGANTE – Mon fils ?

SCAPIN – Votre fils. Voulez-vous qu'il confesse qu'il ait été capable de crainte, et que ce soit par force qu'on lui ait fait faire les choses ? Il n'a garde d'aller avouer cela. Ce serait se faire tort, et se montrer indigne d'un père comme vous.

ARGANTE – Je me moque de cela.

SCAPIN – Il faut, pour son honneur et pour le vôtre, qu'il dise dans le monde que c'est de bon gré qu'il l'a épousée.

ARGANTE – Et je veux, moi, pour mon honneur et pour le sien, qu'il dise le contraire.

SCAPIN – Non, je suis sûr qu'il ne le fera pas.

ARGANTE – Je l'y forcerai bien.

SCAPIN – Il ne le fera pas, vous dis-je.

ARGANTE – Il le fera, ou je le déshériterai.

SCAPIN – Vous ?

ARGANTE – Moi.

SCAPIN – Bon !

ARGANTE – Comment, bon ?

SCAPIN – Vous ne le déshériterez point.

ARGANTE – Je ne le déshériterai point ?

SCAPIN – Non.

ARGANTE – Non ?

SCAPIN – Non.

ARGANTE – Ouais ! voici qui est plaisant. Je ne déshériterai point mon fils ?

SCAPIN – Non, vous dis-je.

ARGANTE – Qui m'en empêchera ?

SCAPIN – Vous-même.

155 ARGANTE – Moi ?

SCAPIN – Oui. Vous n'aurez pas ce cœur-là.

ARGANTE – Je l'aurai.

SCAPIN – Vous vous moquez.

ARGANTE – Je ne me moque point.

160 SCAPIN – La tendresse paternelle fera son office[1].

ARGANTE – Elle ne fera rien.

SCAPIN – Oui, oui.

ARGANTE – Je vous dis que cela sera.

SCAPIN – Bagatelles !

165 ARGANTE – Il ne faut point dire : Bagatelles !

SCAPIN – Mon Dieu ! je vous connais, vous êtes bon naturellement.

ARGANTE – Je ne suis point bon, et je suis méchant quand je veux. Finissons ce discours qui m'échauffe la bile[2].
170 *(À Sylvestre.)* Va-t'en, pendard, va-t'en me chercher mon fripon, tandis que j'irai rejoindre le seigneur Géronte, pour lui conter ma disgrâce[3].

SCAPIN – Monsieur, si je vous puis être utile en quelque chose, vous n'avez qu'à me commander.

175 ARGANTE – Je vous remercie. *(À part.)* Ah ! pourquoi faut-il qu'il soit fils unique ! et que n'ai-je à cette heure la fille que le Ciel m'a ôtée, pour la faire mon héritière !

notes

1. son office : son devoir.

2. qui m'échauffe la bile : qui me met en colère.

3. ma disgrâce : mon malheur.

Au fil du texte

Questions sur l'acte I, scène 4 (pages 29 à 35)

Avez-vous bien lu ?

1. Argante ressemble-t-il au personnage que jouait Scapin dans la scène 3 ? Justifiez votre réponse.

2. Pourquoi Scapin se retrouve-t-il seul pour affronter Argante ?

3. Comment Scapin s'y prend-il pour engager la conversation avec Argante ?

4. Énumérez les raisons que Scapin présente à Argante pour le persuader qu'il ne fera pas casser ce mariage.

destinataire : celui à qui l'on parle.

énonciateur : celui qui parle.

énoncé : suite de mots émise par celui qui parle, au moment et à l'endroit précis où il émet cette suite de mots.

Étudier le discours

5. Quel est le destinataire* d'Argante dans les répliques suivantes ? Inscrivez la (ou les) lettre(s) correspondant à la réponse dans la case :

a) lui-même *b)* le public *c)* Scapin
d) Sylvestre *e)* Scapin et Sylvestre

– lignes 1-2 : « Argante, *se croyant seul – A-t-on jamais ouï parler d'une action pareille à celle-là ?* » ☐

– ligne 43 : « Argante, *montrant Sylvestre – Ce maraud-là.* » ☐

– ligne 109 : « Argante, *à Sylvestre – C'est par force qu'il a été marié ?* » ☐

6. Quel est le destinataire de Scapin dans les répliques suivantes ?

a) lui-même *b)* le public *c)* Argante
d) Sylvestre *e)* Argante et Sylvestre

– ligne 49 : « Scapin, *à part – Nous y avons songé.* »

– ligne 30 : « Scapin – *Monsieur, je suis ravi de vous voir de retour.* » ☐
– lignes 107-108 : « Scapin, *montrant Sylvestre – Demandez-lui plutôt : il ne vous dira pas le contraire.* » ☐

7. Quel est le destinataire de Sylvestre dans les répliques suivantes ?

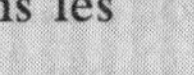

a) lui-même *b)* le public *c)* Argante
d) Scapin *e)* Argante et Scapin

– ligne 27 : « Sylvestre, *à Scapin – J'étais bien étonné s'il m'oubliait.* » ☐
– ligne 102 : « Sylvestre, *à part – L'habile fourbe que voilà !* » ☐

8. Quelle est la réponse qui revient toujours ? Demandez-vous pourquoi.

9. Comment pouvez-vous identifier l'énonciateur* ?

Étudier l'écriture

10. Quelles remarques pouvez-vous faire sur le rythme auquel Scapin et Argante échangent leurs répliques des lignes 137 à 167 ?

À vos plumes !

11. Résumez l'énoncé* d'Argante d'une part, celui de Scapin d'autre part, dans les lignes 1 à 26.

12. Décrivez la situation d'énonciation* des lignes 1 à 26.

Mise en scène

13. Définissez les tons sur lesquels Argante, Scapin et Sylvestre s'expriment dans cette scène. Vous pourrez ensuite essayer de la jouer.

énonciation : c'est le fait même de communiquer avec une personne ou un groupe de personnes à ce moment et à cet endroit précis.

situation d'énonciation : on décrit la situation d'énonciation (ou situation de communication) en repérant et en identifiant quatre éléments : les personnages qui parlent, les propos échangés, le lieu et le temps où se tiennent ces personnes.

Scène 5

SCAPIN, SYLVESTRE

SYLVESTRE – J'avoue que tu es un grand homme, et voilà l'affaire en bon train ; mais l'argent, d'autre part, nous presse pour notre subsistance[1], et nous avons, de tous côtés, des gens qui aboient après nous[2].

5 SCAPIN – Laisse-moi faire, la machine[3] est trouvée. Je cherche seulement dans ma tête un homme qui nous soit affidé[4], pour jouer un personnage dont j'ai besoin. Attends. Tiens-toi un peu. Enfonce ton bonnet en méchant garçon. Campe-toi sur un pied. Mets la main au côté. Fais les yeux
10 furibonds. Marche un peu en roi de théâtre. Voilà qui est bien. Suis-moi. J'ai des secrets pour déguiser ton visage et ta voix.

SYLVESTRE – Je te conjure au moins de ne m'aller point brouiller avec la justice.

15 SCAPIN – Va, va, nous partagerons les périls en frères ; et trois ans de galère de plus ou de moins ne sont pas pour arrêter un noble cœur.

notes

1. l'argent* [...] *nous presse pour notre subsistance : nous avons un besoin urgent d'argent.

2. des gens qui aboient après nous : des gens qui nous réclament, à grand renfort de menaces, l'argent que nous leur devons.

3. la machine : la ruse.

4. qui nous soit affidé : en qui nous puissions avoir confiance.

Acte II

Scène 1

GÉRONTE, ARGANTE

GÉRONTE – Oui, sans doute, par le temps qu'il fait, nous aurons ici nos gens aujourd'hui ; et un matelot qui vient de Tarente m'a assuré qu'il avait vu mon homme qui était près de s'embarquer. Mais l'arrivée de ma fille trouvera les choses mal disposées à ce que nous nous proposions, et ce que vous venez de m'apprendre de votre fils rompt étrangement[1] les mesures que nous avions prises ensemble.

ARGANTE – Ne vous mettez pas en peine : je vous réponds[2] de renverser tout cet obstacle, et j'y vais travailler de ce pas.

notes

1. ***étrangement*** **:** d'une manière extraordinaire, inattendue.

2. ***je vous réponds*** **:** je vous promets.

GÉRONTE – Ma foi ! seigneur Argante, voulez-vous que je vous dise ? l'éducation des enfants est une chose à quoi il faut s'attacher[1] fortement.

15 ARGANTE – Sans doute. À quel propos cela ?

GÉRONTE – À propos de ce que les mauvais déportements[2] des jeunes gens viennent le plus souvent de la mauvaise éducation que leurs pères leur donnent.

ARGANTE – Cela arrive parfois. Mais que voulez-vous dire 20 par là ?

GÉRONTE – Ce que je veux dire par là ?

ARGANTE – Oui.

GÉRONTE – Que si vous aviez, en brave père, bien morigéné[3] votre fils, il ne vous aurait pas joué le tour qu'il vous a fait.

25 ARGANTE – Fort bien. De sorte donc que vous avez bien mieux morigéné le vôtre ?

GÉRONTE – Sans doute, et je serais bien fâché qu'il m'eût rien fait approchant de cela.

ARGANTE – Et si ce fils que vous avez, en brave père, si bien 30 morigéné, avait fait pis encore que le mien ? eh ?

GÉRONTE – Comment ?

ARGANTE – Comment ?

GÉRONTE – Qu'est-ce que cela veut dire ?

ARGANTE – Cela veut dire, seigneur Géronte, qu'il ne faut 35 pas être si prompt[4] à condamner la conduite des autres ; et que ceux qui veulent gloser[5] doivent bien regarder chez eux s'il n'y a rien qui cloche.

notes

1. s'attacher : s'intéresser.

2. déportements : écarts de conduite.

3. morigéné : élevé.

4. prompt : rapide.

5. gloser : critiquer.

GÉRONTE – Je n'entends point cette énigme.

ARGANTE – On vous l'expliquera.

40 GÉRONTE – Est-ce que vous auriez ouï dire quelque chose de mon fils ?

ARGANTE – Cela se peut faire.

GÉRONTE – Et quoi encore ?

ARGANTE – Votre Scapin, dans mon dépit[1], ne m'a dit la
45 chose qu'en gros ; et vous pourrez, de lui ou de quelque autre, être instruit du détail. Pour moi, je vais vite consulter un avocat, et aviser des biais[2] que j'ai à prendre. Jusqu'au revoir.

Scène 2

LÉANDRE, GÉRONTE

GÉRONTE, *seul* – Que pourrait-ce être que cette affaire-ci ? Pis encore que le sien ? Pour moi, je ne vois pas ce que l'on peut faire de pis ; et je trouve que se marier sans le consentement de son père est une action qui passe tout ce qu'on
5 peut s'imaginer. Ah ! vous voilà !

LÉANDRE, *en courant à lui pour l'embrasser* – Ah ! mon père, que j'ai de joie de vous voir de retour !

GÉRONTE, *refusant de l'embrasser* – Doucement. Parlons un peu d'affaire[3].

10 LÉANDRE – Souffrez[4] que je vous embrasse, et que...

GÉRONTE, *le repoussant encore* – Doucement, vous dis-je.

notes

1. dans mon dépit : dans ma colère.

2. biais : moyens détournés.

3. parlons un peu d'affaire : parlons sérieusement.

4. souffrez : permettez.

LÉANDRE – Quoi ? Vous me refusez, mon père, de vous exprimer mon transport[1] par mes embrassements ?

GÉRONTE – Oui : nous avons quelque chose à démêler[2] ensemble.

LÉANDRE – Et quoi ?

GÉRONTE – Tenez-vous, que je vous voie en face.

LÉANDRE – Comment ?

GÉRONTE – Regardez-moi entre deux yeux.

LÉANDRE – Hé bien ?

GÉRONTE – Qu'est-ce donc qu'il s'est passé ici ?

LÉANDRE – Ce qui s'est passé ?

GÉRONTE – Oui. Qu'avez-vous fait dans mon absence ?

LÉANDRE – Que voulez-vous, mon père, que j'aie fait ?

GÉRONTE – Ce n'est pas moi qui veux que vous ayez fait, mais qui demande ce que c'est que vous avez fait.

LÉANDRE – Moi, je n'ai fait aucune chose dont vous ayez lieu de vous plaindre.

GÉRONTE – Aucune chose ?

LÉANDRE – Non.

GÉRONTE – Vous êtes bien résolu[3].

LÉANDRE – C'est que je suis sûr de mon innocence.

GÉRONTE – Scapin pourtant a dit de vos nouvelles.

LÉANDRE – Scapin !

GÉRONTE – Ah, ah ! ce mot vous fait rougir.

LÉANDRE – Il vous a dit quelque chose de moi ?

notes

1. mon transport : ma joie.

2. démêler : clarifier.

3. bien résolu : bien sûr de vous.

GÉRONTE – Ce lieu n'est pas tout à fait propre à vider[1] cette affaire, et nous allons l'examiner ailleurs. Qu'on se rende au logis. J'y vais revenir tout à l'heure[2]. Ah ! traître, s'il faut que tu me déshonores, je te renonce[3] pour mon fils, et tu peux bien pour jamais te résoudre à fuir de ma présence. 40

Scène 3

OCTAVE, SCAPIN, LÉANDRE

LÉANDRE, *seul* – Me trahir de cette manière ! Un coquin qui doit, par cent raisons, être le premier à cacher les choses que je lui confie, est le premier à les aller découvrir à mon père. Ah ! je jure le Ciel que cette trahison ne demeurera pas impunie. 5

OCTAVE – Mon cher Scapin, que ne dois-je point à tes soins[4] ! Que tu es un homme admirable ! et que le Ciel m'est favorable de t'envoyer à mon secours !

LÉANDRE – Ah, ah ! vous voilà. Je suis ravi de vous trouver, monsieur le coquin. 10

SCAPIN – Monsieur, votre serviteur. C'est trop d'honneur que vous me faites.

LÉANDRE, *en mettant l'épée à la main* – Vous faites le méchant plaisant ? Ah ! je vous apprendrai...

15 SCAPIN, *se mettant à genoux* – Monsieur !

OCTAVE, *se mettant entre eux pour empêcher Léandre de le frapper* – Ah ! Léandre !

LÉANDRE – Non, Octave, ne me retenez point, je vous prie.

notes

1. vider : régler.

2. tout à l'heure : tout de suite.

3. renonce : renie.

4. soins : services.

SCAPIN, *à Léandre* – Eh ! monsieur !

20 OCTAVE, *le retenant* – De grâce !

LÉANDRE, *voulant frapper Scapin* – Laissez-moi contenter mon ressentiment[1].

OCTAVE – Au nom de l'amitié, Léandre, ne le maltraitez point.

25 SCAPIN – Monsieur, que vous ai-je fait ?

LÉANDRE, *voulant le frapper* – Ce que tu m'as fait, traître !

OCTAVE, *le retenant* – Eh ! doucement !

LÉANDRE – Non, Octave, je veux qu'il me confesse lui-même tout à l'heure la perfidie qu'il m'a faite. Oui, coquin,
30 je sais le trait[2] que tu m'as joué, on vient de me l'apprendre ; et tu ne croyais pas peut-être que l'on me dût révéler ce secret ; mais je veux en avoir la confession de ta propre bouche, ou je vais te passer cette épée au travers du corps.

35 SCAPIN – Ah ! monsieur, auriez-vous bien ce cœur-là ?

LÉANDRE – Parle donc.

SCAPIN – Je vous ai fait quelque chose, monsieur ?

LÉANDRE – Oui, coquin, et ta conscience ne te dit que trop ce que c'est.

40 SCAPIN – Je vous assure que je l'ignore.

LÉANDRE, *s'avançant pour le frapper* – Tu l'ignores !

OCTAVE, *le retenant* – Léandre !

SCAPIN – Hé bien ! monsieur, puisque vous le voulez, je vous confesse que j'ai bu avec mes amis ce petit quartaut[3] de vin

notes

1. ressentiment : ici, violent sentiment de colère.

2. trait : tour.

3. quartaut : tonneau d'environ 70 litres.

45 d'Espagne dont on vous fit présent il y a quelques jours, et que c'est moi qui fis une fente au tonneau, et répandis de l'eau autour pour faire croire que le vin s'était échappé.

LÉANDRE – C'est toi, pendard, qui m'as bu mon vin d'Espagne, et qui as été cause que j'ai tant querellé la ser-
50 vante, croyant que c'était elle qui m'avait fait le tour ?

SCAPIN – Oui, monsieur, je vous en demande pardon.

LÉANDRE – Je suis bien aise d'apprendre cela ; mais ce n'est pas l'affaire dont il est question maintenant.

SCAPIN – Ce n'est pas cela, monsieur ?

55 LÉANDRE – Non : c'est une autre affaire qui me touche bien plus, et je veux que tu me la dises.

SCAPIN – Monsieur, je ne me souviens pas d'avoir fait autre chose.

LÉANDRE, *le voulant frapper* – Tu ne veux pas parler ?

60 SCAPIN – Eh !

OCTAVE, *le retenant* – Tout doux !

SCAPIN – Oui, monsieur, il est vrai qu'il y a trois semaines que vous m'envoyâtes porter, le soir, une petite montre à la jeune Égyptienne que vous aimez. Je revins au logis, mes
65 habits tout couverts de boue et le visage plein de sang, et vous dis que j'avais trouvé des voleurs qui m'avaient bien battu, et m'avaient dérobé la montre. C'était moi, monsieur, qui l'avais retenue.

LÉANDRE – C'est toi qui as retenu ma montre ?

70 SCAPIN – Oui, monsieur, afin de voir quelle heure il est.

LÉANDRE – Ah, ah ! j'apprends ici de jolies choses, et j'ai un serviteur fort fidèle, vraiment. Mais ce n'est pas encore cela que je demande.

SCAPIN – Ce n'est pas cela ?

75 LÉANDRE – Non, infâme : c'est autre chose encore que je veux que tu me confesses.

SCAPIN, *à part* – Peste !

LÉANDRE – Parle vite, j'ai hâte.

SCAPIN – Monsieur, voilà tout ce que j'ai fait.

80 LÉANDRE, *voulant frapper Scapin* – Voilà tout ?

OCTAVE, *se mettant au-devant* – Eh !

SCAPIN – Hé bien ! oui, monsieur : vous vous souvenez de ce loup-garou[1], il y a six mois, qui vous donna tant de coups de bâton, la nuit, et vous pensa faire rompre le cou[2]
85 dans une cave où vous tombâtes en fuyant.

LÉANDRE – Hé bien ?

SCAPIN – C'était moi, monsieur, qui faisais le loup-garou.

LÉANDRE – C'était toi, traître, qui faisais le loup-garou ?

SCAPIN – Oui, monsieur, seulement pour vous faire peur, et
90 vous ôter l'envie de nous faire courir toutes les nuits, comme vous aviez coutume.

LÉANDRE – Je saurai me souvenir, en temps et lieu, de tout ce que je viens d'apprendre. Mais je veux venir au fait, et que tu me confesses ce que tu as dit à mon père.

95 SCAPIN – À votre père ?

LÉANDRE – Oui, fripon, à mon père.

SCAPIN – Je ne l'ai pas seulement vu depuis son retour.

LÉANDRE – Tu ne l'as pas vu ?

notes

1. loup-garou : personnage légendaire qui se transforme en loup la nuit.

2. vous pensa faire rompre le cou : vous fit croire que vous vous rompiez le cou.

SCAPIN – Non, monsieur.

100 LÉANDRE – Assurément ?

SCAPIN – Assurément. C'est une chose que je vais vous faire dire par lui-même.

LÉANDRE – C'est de sa bouche que je le tiens, pourtant.

SCAPIN – Avec votre permission, il n'a pas dit la vérité.

Philippe Torreton (Scapin) et Nicolas Lormeau (Léandre) dans une mise en scène de Jean-Louis Benoît à la Comédie-Française (1997).

Au fil du texte

Questions sur l'acte II, scène 3 (pages 43 à 47)

QUE S'EST-IL PASSÉ ENTRE-TEMPS ?

1. Quels nouveaux personnages sont entrés en scène depuis la scène 4 de l'acte I ?

2. En remontant jusqu'à la scène 4 de l'acte I, expliquez pourquoi, à la scène 3 de l'acte II, Léandre apparaît sûr d'avoir été trahi par Scapin.

AVEZ-VOUS BIEN LU ?

3. Récrivez ce résumé de la scène, en corrigeant les erreurs qu'il contient.

Après le départ d'Argante, Léandre se retrouve seul et il exprime sa colère d'avoir été trahi par Scapin. Octave et Scapin paraissent à leur tour sur la scène. Tandis qu'Octave témoigne son admiration à Scapin, Léandre se montre prêt à lui assener des coups de bâton. Scapin, qui ignore ce que Léandre lui reproche, le supplie de ne pas le frapper. Octave ne comprend pas plus que Scapin et reste muet de surprise. Pour tenter d'apaiser la colère de Léandre, Scapin avoue des tours qu'il n'a pas faits et se déclare coupable alors qu'il est innocent. En définitive, Léandre comprend qu'il n'a pas été trahi par Scapin.

4. Combien Scapin avoue-t-il de fourberies ?

5. Quelles sont-elles ?

6. Qui en a été victime ?

ÉTUDIER LE DISCOURS

7. Indiquez les passages de cette scène qui illustrent chacun des actes de parole* de la liste ci-dessous. Attention, un même passage peut illustrer plusieurs actes de parole à la fois.

a) louer : ligne(s) …
b) saluer : ligne(s) …
c) menacer : ligne(s) …
d) supplier : ligne(s) …
e) demander une information : ligne(s) …
f) exiger un aveu : ligne(s) …
g) ordonner de parler : ligne(s) …
h) mentir : ligne(s) …
i) confesser une faute : ligne(s) …
j) croire faire l'aveu exigé : ligne(s) …
k) raconter un événement : ligne(s) …
l) relater un souvenir : ligne(s) …
m) commenter un aveu : ligne(s) …
n) demander pardon : ligne(s) …
o) exiger un autre aveu : ligne(s) …
p) retenir une information : ligne(s) …
q) refuser de parler : ligne(s) …
r) injurier : ligne(s) …
s) jurer : ligne(s) …
t) dire la vérité : ligne(s) …

acte de parole (ou acte de discours) : manière dont on s'adresse à quelqu'un pour provoquer ses réponses et ses réactions.

didascalies : indications de mise en scène données par l'auteur.

ÉTUDIER LE GENRE

8. Que vous apprennent les didascalies* sur le comportement et les sentiments de Léandre ?

9. En vous reportant à la présentation de la page 131, dites à quel genre appartient cette pièce.

ÉTUDIER LE COMIQUE

10. Qu'est-ce qu'un quiproquo ?

11. Pourquoi ce terme convient-il pour définir cette scène ?

À VOS PLUMES !

12. Avant que Scapin ne se dénonce, Léandre avait accusé Sylvestre de lui avoir dérobé la montre destinée à *« la jeune Égyptienne »*. Imaginez, dans un dialogue de 15 à 20 lignes, le quiproquo auquel cette accusation a donné lieu.

Scène 4

CARLE, SCAPIN, LÉANDRE, OCTAVE

CARLE – Monsieur, je vous apporte une nouvelle qui est fâcheuse pour votre amour.

LÉANDRE – Comment ?

CARLE – Vos Égyptiens sont sur le point de vous enlever
5 Zerbinette, et elle-même, les larmes aux yeux, m'a chargé de venir promptement[1] vous dire que, si dans deux heures vous ne songez à leur porter l'argent qu'ils vous ont demandé pour elle, vous l'allez perdre pour jamais.

LÉANDRE – Dans deux heures ?

10 CARLE – Dans deux heures. *(Il sort.)*

LÉANDRE – Ah ! mon pauvre Scapin, j'implore ton secours !

SCAPIN, *passant devant lui avec un air fier* – « Ah ! mon pauvre Scapin. » Je suis « mon pauvre Scapin » à cette heure qu'on a besoin de moi.

15 LÉANDRE – Va, je te pardonne tout ce que tu viens de me dire et pis encore, si tu me l'as fait.

SCAPIN – Non, non, ne me pardonnez rien. Passez-moi votre épée au travers du corps. Je serai ravi que vous me tuiez.

LÉANDRE – Non. Je te conjure plutôt de me donner la vie,
20 en servant mon amour.

SCAPIN – Point, point, vous ferez mieux de me tuer.

LÉANDRE – Tu m'es trop précieux ; et je te prie de vouloir employer pour moi ce génie admirable, qui vient à bout de toute chose.

25 SCAPIN – Non, tuez-moi, vous dis-je.

notes

1. promptement : rapidement.

LÉANDRE – Ah ! de grâce, ne songe plus à tout cela, et pense à me donner le secours que je te demande.

OCTAVE – Scapin, il faut faire quelque chose pour lui.

SCAPIN – Le moyen, après une avanie[1] de la sorte ?

30 LÉANDRE – Je te conjure d'oublier mon emportement et de me prêter ton adresse[2].

OCTAVE – Je joins mes prières aux siennes.

SCAPIN – J'ai cette insulte-là sur le cœur.

OCTAVE – Il faut quitter ton ressentiment.

35 LÉANDRE – Voudrais-tu m'abandonner, Scapin, dans la cruelle extrémité[3] où se voit mon amour ?

SCAPIN – Me venir faire à l'improviste un affront comme celui-là !

LÉANDRE – J'ai tort, je le confesse.

40 SCAPIN – Me traiter de coquin, de fripon, de pendard, d'infâme !

LÉANDRE – J'en ai tous les regrets du monde.

SCAPIN – Me vouloir passer son épée au travers du corps !

LÉANDRE – Je t'en demande pardon de tout mon cœur ; et, 45 s'il ne tient qu'à me jeter à tes genoux, tu m'y vois, Scapin, pour te conjurer encore une fois de ne me point abandonner.

OCTAVE – Ah ! ma foi ! Scapin, il se faut rendre à cela.

SCAPIN – Levez-vous. Une autre fois, ne soyez point si 50 prompt.

notes

1. avanie : humiliation.

2. me prêter ton adresse : mettre ton adresse à mon service.

3. cruelle extrémité : situation excessivement difficile.

LÉANDRE – Me promets-tu de travailler pour moi ?

SCAPIN – On y songera.

LÉANDRE – Mais tu sais que le temps presse.

SCAPIN – Ne vous mettez pas en peine. Combien est-ce qu'il
55 vous faut ?

LÉANDRE – Cinq cents écus.

SCAPIN – Et à vous ?

OCTAVE – Deux cents pistoles.

SCAPIN – Je veux tirer cet argent de vos pères. *(À Octave.)*
60 Pour ce qui est du vôtre, la machine est déjà toute trouvée ; *(à Léandre)* et quant au vôtre, bien qu'avare au dernier degré, il y faudra moins de façons encore, car vous savez que, pour l'esprit, il n'en a pas, grâces à Dieu ! grande provision, et je le livre pour[1] une espèce d'homme à qui l'on
65 fera toujours croire tout ce que l'on voudra. Cela ne vous offense point : il ne tombe entre lui et vous aucun soupçon de ressemblance ; et vous savez assez l'opinion de tout le monde, qui veut qu'il ne soit votre père que pour la forme.

70 LÉANDRE – Tout beau, Scapin.

SCAPIN – Bon, bon, on fait bien scrupule de cela : vous moquez-vous ? Mais j'aperçois venir le père d'Octave. Commençons par lui, puisqu'il se présente. Allez-vous-en tous deux. *(À Octave.)* Et vous, avertissez votre Sylvestre de
75 venir vite jouer son rôle.

notes

1. je le livre pour : je le considère comme.

Philippe Torreton (Scapin), Nicolas Lormeau (Léandre) et Denis Podalydès (Octave) dans une mise en scène de Jean-Louis Benoît à la Comédie-Française (1997).

Scène 5

ARGANTE, SCAPIN

SCAPIN, *à part* – Le voilà qui rumine.

ARGANTE, *se croyant seul* – Avoir si peu de conduite et de considération[1] ! s'aller jeter dans un engagement comme celui-là ! Ah, ah ! jeunesse impertinente[2] !

5 SCAPIN – Monsieur, votre serviteur[3].

ARGANTE – Bonjour, Scapin.

SCAPIN – Vous rêvez[4] à l'affaire de votre fils ?

ARGANTE – Je t'avoue que cela me donne un furieux[5] chagrin.

10 SCAPIN – Monsieur, la vie est mêlée de traverses[6]. Il est bon de s'y tenir sans cesse préparé ; et j'ai ouï dire, il y a longtemps, une parole d'un ancien que j'ai toujours retenue.

ARGANTE – Quoi ?

SCAPIN – Que, pour peu qu'un père de famille ait été absent 15 de chez lui, il doit promener son esprit sur tous les fâcheux accidents que son retour peut rencontrer : se figurer sa maison brûlée, son argent dérobé, sa femme morte, son fils estropié, sa fille subornée[7] ; et ce qu'il trouve qu'il ne lui est point arrivé, l'imputer à bonne fortune[8]. Pour moi, j'ai 20 pratiqué toujours cette leçon dans ma petite philosophie ; et je ne suis jamais revenu au logis, que je ne me sois tenu prêt à la colère de mes maîtres, aux réprimandes, aux injures, aux coups de pied au cul, aux bastonnades, aux

notes

1. *considération :* réflexion.

2. *impertinente :* qui ne réfléchit pas.

3. *votre serviteur :* formule de politesse.

4. *rêvez :* pensez.

5. *furieux :* violent.

6. *traverses :* obstacles.

7. *subornée :* détournée de son devoir par un homme, séduite.

8. *l'imputer à bonne fortune :* le mettre au compte de la chance.

étrivières[1] ; et ce qui a manqué à m'arriver, j'en ai rendu
25 grâce à mon bon destin.

ARGANTE – Voilà qui est bien. Mais ce mariage impertinent[2] qui trouble celui que nous voulons faire est une chose que je ne puis souffrir[3], et je viens de consulter des avocats pour le faire casser.

30 SCAPIN – Ma foi ! monsieur, si vous m'en croyez, vous tâcherez, par quelque autre voie, d'accommoder[4] l'affaire. Vous savez ce que c'est que les procès en ce pays-ci, et vous allez vous enfoncer dans d'étranges épines[5].

ARGANTE – Tu as raison, je le vois bien. Mais quelle autre
35 voie ?

SCAPIN – Je pense que j'en ai trouvé une. La compassion[6] que m'a donnée tantôt votre chagrin m'a obligé à chercher dans ma tête quelque moyen pour vous tirer d'inquiétude ; car je ne saurais voir d'honnêtes pères chagrinés par leurs
40 enfants que cela ne m'émeuve ; et, de tout temps, je me suis senti pour votre personne une inclination particulière.

ARGANTE – Je te suis obligé[7].

SCAPIN – J'ai donc été trouver le frère de cette fille qui a été épousée. C'est un de ces braves de profession[8], de ces gens
45 qui sont tous coups d'épée, qui ne parlent que d'échiner[9], et ne font non plus de conscience[10] de tuer un homme que d'avaler un verre de vin. Je l'ai mis sur ce mariage, lui ai fait voir quelle facilité offrait la raison[11] de la violence

notes

1. étrivières : courroies de cuir tenant les étriers dont on se servait également comme fouet.

2. impertinent : qui est contre la raison.

3. souffrir : supporter, tolérer.

4. accommoder : arranger.

5. étranges épines : extraordinaires difficultés.

6. la compassion : la pitié.

7. obligé : reconnaissant.

8. un de ces braves de profession : un de ces tueurs à gages.

9. échiner : briser l'échine, mettre à mal.

10. ne font non plus de conscience : ne font pas plus de cas.

11. la raison : la réparation.

pour le faire casser, vos prérogatives[1] du nom de père, et
50 l'appui que vous donneraient auprès de la justice et votre droit, et votre argent, et vos amis. Enfin je l'ai tant tourné de tous les côtés qu'il a prêté l'oreille aux propositions que je lui ai faites d'ajuster l'affaire pour quelque somme ; et il donnera son consentement à rompre le mariage, pourvu
55 que vous lui donniez de l'argent.

ARGANTE – Et qu'a-t-il demandé ?

SCAPIN – Oh ! d'abord, des choses par-dessus les maisons.

ARGANTE – Et quoi ?

SCAPIN – Des choses extravagantes.

60 ARGANTE – Mais encore ?

SCAPIN – Il ne parlait pas moins que de cinq ou six cents pistoles.

ARGANTE – Cinq ou six cents fièvres quartaines[2] qui le puissent serrer ! Se moque-t-il des gens ?

SCAPIN – C'est ce que je lui ai dit. J'ai rejeté bien loin de
65 pareilles propositions, et je lui ai bien fait entendre que vous n'étiez point une dupe[3], pour vous demander des cinq ou six cents pistoles. Enfin, après plusieurs discours, voici où s'est réduit le résultat de notre conférence[4]. « Nous voilà au temps, m'a-t-il dit, que je dois partir pour
70 l'armée. Je suis après à[5] m'équiper, et le besoin que j'ai de quelque argent me fait consentir, malgré moi, à ce qu'on me propose. Il me faut un cheval de service[6], et je n'en saurais avoir un qui soit tant soit peu raisonnable[7] à moins de soixante pistoles. »

notes

1. vos prérogatives : les droits que vous donne.

2. fièvres quartaines : fièvres qui reviennent tous les quatre jours.

3. une dupe : une personne que l'on peut tromper.

4. conférence : entretien, discussion.

5. je suis après à : je suis pressé de.

6. un cheval de service : un cheval pour la guerre.

7. raisonnable : correct.

ARGANTE – Hé bien ! pour soixante pist

SCAPIN – « Il faudra le harnais et les pist
à vingt pistoles encore. »

ARGANTE – Vingt pistoles et soixante, ce serai

SCAPIN – Justement.

ARGANTE – C'est beaucoup ; mais soit, je consens à cela.

SCAPIN – « Il me faut aussi un cheval pour monter mon valet, qui coûtera bien trente pistoles. »

ARGANTE – Comment, diantre ! Qu'il se promène[1] ! il n'aura rien du tout.

SCAPIN – Monsieur.

ARGANTE – Non, c'est un impertinent.

SCAPIN – Voulez-vous que son valet aille à pied ?

ARGANTE – Qu'il aille comme il lui plaira, et le maître aussi.

SCAPIN – Mon Dieu ! monsieur, ne vous arrêtez point à peu de chose. N'allez point plaider, je vous prie, et donnez tout pour vous sauver des mains de la justice.

ARGANTE – Hé bien ! soit, je me résous à donner encore ces trente pistoles.

SCAPIN – « Il me faut encore, a-t-il dit, un mulet pour porter... »

ARGANTE – Oh ! qu'il aille au diable avec son mulet ! C'en est trop, et nous irons devant les juges.

SCAPIN – De grâce, monsieur...

ARGANTE – Non, je n'en ferai rien.

SCAPIN – Monsieur, un petit mulet.

notes

1. qu'il se promène : qu'il aille au diable.

ARGANTE – Je ne lui donnerais pas seulement un âne.

SCAPIN – Considérez...

ARGANTE – Non ! j'aime mieux plaider.

SCAPIN – Eh ! monsieur, de quoi parlez-vous là, et à quoi vous
105 résolvez-vous ? Jetez les yeux sur les détours[1] de la justice ; voyez combien d'appels[2] et de degrés de juridiction[3], combien de procédures[4] embarrassantes, combien d'animaux ravissants[5] par les griffes desquels il vous faudra passer, sergents[6], procureurs[7], avocats[8], greffiers[9], substituts[10], rappor-
110 teurs[11], juges[12] et leurs clercs[13]. Il n'y a pas un de tous ces gens-là qui, pour la moindre chose, ne soit capable de donner un soufflet[14] au meilleur droit du monde. Un sergent baillera[15] de faux exploits[16], sur quoi vous serez condamné sans que vous le sachiez. Votre procureur s'entendra avec
115 votre partie[17], et vous vendra à beaux deniers comptants[18]. Votre avocat, gagné de même, ne se trouvera point lorsqu'on plaidera votre cause, ou dira des raisons qui ne feront que battre la campagne[19], et n'iront point au fait. Le gref-

notes

1. *les détours :* les complications et les longueurs.

2. *appels :* faire appel à une juridiction d'un degré supérieur pour revenir sur le jugement rendu.

3. *degrés de juridiction :* juridictions de niveau différent devant lesquelles Argante devra passer.

4. *procédures :* démarches.

5. *animaux ravissants :* comparaison des gens de justice avec les animaux de proie.

6. *sergents :* ceux qui s'occupent des poursuites judiciaires.

7. *procureurs :* représentants des parties devant le tribunal.

8. *avocats :* ceux qui défendent les parties.

9. *greffiers :* ceux qui rédigent les actes de la procédure.

10. *substituts :* magistrats qui en cas de besoin remplacent ceux qui étaient désignés.

11. *rapporteurs :* magistrats chargés d'exposer l'affaire qui doit être jugée.

12. *juges :* magistrats qui rendent le verdict.

13. *clercs :* employés au service des magistrats.

14. *donner un soufflet* [...] *du monde :* donner une gifle, c'est-à-dire transgresser la loi et commettre des injustices.

15. *baillera :* donnera.

16. *exploits :* décisions judiciaires signifiées par huissier, par lesquelles une personne est sommée de se présenter à la justice.

17. *votre partie :* la partie adverse.

18. *vous vendra à beaux deniers comptants :* vous livrera pour une somme d'argent.

19. *dira des raisons qui ne feront que battre la campagne :* ne vous défendra pas, et s'écartera du sujet.

fier délivrera par contumace[1] des sentences[2] et arrêts[3]
120 contre vous. Le clerc du rapporteur soustraira des pièces[4], ou le rapporteur même ne dira pas ce qu'il a vu. Et quand, par les plus grandes précautions du monde, vous aurez paré tout cela, vous serez ébahi[5] que vos juges auront été sollicités[6] contre vous ou par des gens dévots[7] ou par des
125 femmes qu'ils aimeront. Eh ! monsieur, si vous le pouvez, sauvez-vous de cet enfer-là. C'est être damné dès ce monde que d'avoir à plaider ; et la seule pensée d'un procès serait capable de me faire fuir jusqu'aux Indes.

ARGANTE – À combien est-ce qu'il fait monter le mulet ?

130 SCAPIN – Monsieur, pour le mulet, pour son cheval et celui de son homme, pour le harnais et les pistolets, et pour payer quelque petite chose qu'il doit à son hôtesse, il demande en tout deux cents pistoles.

ARGANTE – Deux cents pistoles ?

135 SCAPIN – Oui.

ARGANTE, *se promenant en colère le long du théâtre* – Allons, allons, nous plaiderons.

SCAPIN – Faites réflexion...

ARGANTE – Je plaiderai.

140 SCAPIN – Ne vous allez point jeter...

ARGANTE – Je veux plaider.

SCAPIN – Mais, pour plaider, il vous faudra de l'argent : il vous en faudra pour l'exploit ; il vous en faudra pour le contrôle[8] ; il vous en faudra pour la procuration[9], pour la

notes

1. *par contumace* : en votre absence.

2. *sentences* : décisions.

3. *arrêts* : verdicts.

4. *pièces* : documents.

5. *ébahi* : stupéfait.

6. *sollicités* : poussés à agir.

7. *des gens dévots* : des gens puissants caractérisés par leur attachement à l'Église catholique.

8. *contrôle* : inscription sur un registre officiel de l'exploit.

9. *la procuration* : l'écrit par lequel tout pouvoir est donné à une personne.

145 présentation[1], conseils, productions[2], et journées du procureur ; il vous en faudra pour les consultations et plaidoiries des avocats, pour le droit de retirer le sac[3], et pour les grosses d'écritures[4] ; il vous en faudra pour le rapport des substituts, pour les épices de conclusion[5], pour l'enregistrement[6]
150 du greffier, façon d'appointement[7], sentences et arrêts, contrôles, signatures et expéditions[8] de leurs clercs, sans parler de tous les présents qu'il vous faudra faire. Donnez cet argent-là à cet homme-ci, vous voilà hors d'affaire.

ARGANTE – Comment, deux cents pistoles ?

155 SCAPIN – Oui, vous y gagnerez. J'ai fait un petit calcul en moi-même de tous les frais de la justice ; et j'ai trouvé qu'en donnant deux cents pistoles à votre homme, vous en aurez de reste pour le moins cent cinquante, sans compter les soins, les pas, et les chagrins que vous épargnerez.
160 Quand il n'y aurait à essuyer que les sottises que disent devant tout le monde de méchants plaisants d'avocats, j'aimerais mieux donner trois cents pistoles que de plaider.

ARGANTE – Je me moque de cela, et je défie les avocats de rien dire de moi.

165 SCAPIN – Vous ferez ce qu'il vous plaira ; mais si j'étais que de vous, je fuirais les procès.

ARGANTE – Je ne donnerai point deux cents pistoles.

SCAPIN – Voici l'homme dont il s'agit.

notes

1. ***présentation :*** acte par lequel un procureur représente son client.
2. ***productions :*** exposition des pièces du dossier au tribunal.
3. ***retirer le sac :*** il s'agit du sac dans lequel on mettait les pièces du dossier.
4. ***les grosses d'écritures :*** les copies des actes judiciaires.
5. ***épices de conclusion :*** cadeaux faits au juge à la fin du procès.
6. ***enregistrement :*** paiement d'un droit d'inscription sur un registre public.
7. ***façon d'appointement :*** salaire du greffier qui a rédigé le document indiquant la qualité des parties, le sujet du désaccord et les demandes de chacun.
8. ***expéditions :*** copies d'un acte ou d'un jugement.

Bibliographie et filmographie

D'autres pièces de Molière à lire

Les Précieuses ridicules.
Le Médecin malgré lui.
L'Avare.
Le Bourgeois gentilhomme.
Le Malade imaginaire.

D'autres pièces de théâtre à lire

Goldoni, *La Locandiera*, coll. « Classiques Hachette ».
Edmond Rostand, *Cyrano de Bergerac*, coll. « Classiques Hachette ».

Des auteurs comiques à découvrir

Georges Courteline, *Un client sérieux.*
Georges Courteline, *Les Boulingrins.*
Georges Courteline, *Le gendarme est sans pitié.*
Eugène Labiche, *La Cagnotte.*
Eugène Labiche, *Le Voyage de Monsieur Perrichon.*

Pour en savoir plus sur les grandes œuvres dramatiques du XVIIe siècle

Quinel et de Montagnon, *Contes et légendes du Grand Siècle,* Fernand Nathan, coll. « Contes et légendes ».
Chandon, *Contes et récits tirés du théâtre de Corneille.*
Chandon, *Contes et récits tirés du théâtre de Molière.*
Chandon, *Contes et récits tirés du théâtre de Racine,* Fernand Nathan, coll. « Contes et légendes ».

Filmographie

Les Fourberies de Scapin, mise en scène de Jacques Échantillon pour la Comédie-Française. Enregistré au cours de la saison 1972-1973.
Les Fourberies de Scapin de Roger Coggio, avec Roger Coggio, Michel Galabru, Jean-Pierre Darras, 1980 (1 h 47 min).
Molière, film d'Ariane Mnouchkine sur la vie de Molière.

Imprimé en Italie par Rotolito Lombarda
Dépôt légal : Janvier 2010
Collection n°63 - Edition n° 13
16/7838/2

Au fil du texte

Questions sur l'acte II, scène 5 (pages 54 à 60)

Que s'est-il passé entre-temps ?

1. Expliquez en quelques phrases pourquoi la scène 3 et la scène 4 sont indissociables.

2. Relevez dans la scène 4 un passage qui vous permettait d'imaginer ce qui allait se passer à la scène 5 et dans les scènes suivantes.

Avez-vous bien lu ?

3. Quel argument* Scapin emploie-t-il pour prouver à Argante que le mariage de son fils n'est pas une catastrophe ?

4. Quels arguments Scapin présente-t-il à Argante pour le dissuader* d'engager un procès ?

5. Argante se laisse-t-il convaincre ?

6. Quel but Scapin poursuit-il en conseillant à Argante de payer plutôt que de plaider ?

argument : preuve que l'on avance pour convaincre.

dissuader : convaincre une personne de renoncer à ce qu'elle voulait faire et même d'accepter de faire tout le contraire.

Étudier le discours

7. Dressez la liste de ce dont le frère de Hyacinte a besoin, d'après Scapin, pour rejoindre l'armée.

8. Pourquoi Scapin fait-il une liste aussi détaillée des éléments qui composent cet équipement ? Cochez la bonne réponse.

☐ pour renseigner Argante sur la manière dont son argent sera employé.

☐ pour persuader Argante de donner l'argent demandé.

☐ pour expliquer à Argante ce qui fait qu'un équipement militaire coûte si cher.

☐ pour ordonner à Argante d'aider le soldat à s'équiper.

ÉTUDIER L'ÉCRITURE

9. Dans les lignes 104 à 112, relevez une énumération.

10. Que deviennent les termes de cette énumération dans la suite du texte ?

11. Ligne 108 : à quels animaux, selon Scapin, les gens de justice ressemblent-ils ?

12. Comment appelle-t-on ce procédé par lequel on rapproche des êtres ou des choses en attribuant aux uns les caractéristiques des autres, pour montrer leur ressemblance ?

13. En décrivant ainsi la justice, que fait Scapin ?

ÉTUDIER LE COMIQUE

14. Pour chacune des phrases ci-dessous, cochez la fin qui convient. Vous aurez ainsi reconstitué un texte illustrant un des procédés utilisés par Molière pour écrire une scène comique.

a) Scapin se présente à Argante...
☐ comme l'allié d'Octave.
☐ comme son allié.

b) Mais, ainsi que le sait le public, depuis la scène 2 de l'acte I, Scapin est...
☐ l'allié d'Octave.
☐ l'allié d'Argante.

c) Argante est persuadé que Scapin...
☐ ne veut que le bien d'Octave.
☐ ne veut que son bien.

d) Aussi, fonce-t-il, tête baissée, dans le piège que lui tend Scapin...
☐ dont il se méfie alors qu'il ne devrait pas.
☐ qu'il croit à la lettre, alors qu'il ne devrait pas.

15. Dans le passage des lignes 72 à 97, de quel verbe les groupes nominaux suivants sont-ils compléments ?
– « *Un cheval de service* »
– « *le harnais et les pistolets* »
– « *un cheval pour monter mon valet* »
– « *un mulet pour porter…* »

16. Comment Argante réagit-il à chaque demande supplémentaire ?

17. Choisissez, parmi les trois termes proposés, celui qui convient pour nommer chacun des procédés comiques que vous venez d'étudier :
– question 14 : ☐ répétition ☐ gradation* ☐ ironie*
– question 15 : ☐ répétition ☐ gradation ☐ ironie
– question 16 : ☐ répétition ☐ gradation ☐ ironie

gradation : succession d'expressions de plus en plus fortes.

ironie : dans une comédie, un personnage se comporte avec ironie lorsqu'il fait semblant, pour mieux tromper sa victime, d'ignorer ce qu'il sait ; en d'autres termes, lorsqu'un personnage « joue double jeu ».

À VOS PLUMES !

18. Plaider ou payer deux cents pistoles : quelle est l'opinion de Scapin ? Pour répondre, faites une phrase en réutilisant le nom commun *opinion*.

19. Qui doit-il convaincre de cela ? Pour répondre, faites une phrase en réutilisant le verbe *convaincre*.

20. Comment Scapin s'y prend-il pour rendre son discours persuasif ? Pour répondre, faites une phrase en réutilisant le nom commun *argument*.

Jacques Copeau dans le rôle de Scapin.
Mise en scène de Copeau au théâtre du Vieux-Colombier (1920).

Scène 6

SYLVESTRE, ARGANTE, SCAPIN

SYLVESTRE, *déguisé en spadassin*[1] – Scapin, fais-moi connaître un peu cet Argante, qui est père d'Octave.

SCAPIN – Pourquoi, monsieur ?

SYLVESTRE – Je viens d'apprendre qu'il veut me mettre en
5 procès, et faire rompre par justice le mariage de ma sœur.

SCAPIN – Je ne sais pas s'il a cette pensée ; mais il ne veut point consentir aux deux cents pistoles que vous voulez, et il dit que c'est trop.

SYLVESTRE – Par la mort ! par la tête ! par le ventre ! si je le
10 trouve, je le veux échiner[2], dussé-je être roué[3] tout vif[4]. *(Argante, pour n'être point vu, se tient, en tremblant, couvert de Scapin.)*

SCAPIN – Monsieur, ce père d'Octave a du cœur, et peut-être ne vous craindra-t-il point.

15 SYLVESTRE – Lui ? lui ? Par le sang ! par la tête ! s'il était là, je lui donnerais tout à l'heure de l'épée dans le ventre. *(Apercevant Argante.)* Qui est cet homme-là ?

SCAPIN – Ce n'est pas lui, monsieur, ce n'est pas lui.

SYLVESTRE – N'est-ce point quelqu'un de ses amis ?

20 SCAPIN – Non, monsieur, au contraire, c'est son ennemi capital.

SYLVESTRE – Son ennemi capital ?

SCAPIN – Oui.

notes

1. spadassin : assassin à gages, utilisant l'arme blanche.

2. échiner : briser l'échine.

3. roué : condamné au supplice de la roue.

4. vif : vivant.

SYLVESTRE – Ah, parbleu ! j'en suis ravi. *(À Argante.)* Vous êtes
25 ennemi, monsieur, de ce faquin[1] d'Argante, eh ?

SCAPIN – Oui, oui, je vous en réponds.

SYLVESTRE, *secouant la main d'Argante* – Touchez là, touchez. Je vous donne ma parole, et vous jure sur mon honneur, par l'épée que je porte, par tous les serments que je saurais
30 faire, qu'avant la fin du jour je vous déferai de ce maraud fieffé[2], de ce faquin d'Argante. Reposez-vous sur moi.

SCAPIN – Monsieur, les violences en ce pays-ci ne sont guère souffertes.

SYLVESTRE – Je me moque de tout, et je n'ai rien à perdre.

35 SCAPIN – Il se tiendra sur ses gardes assurément ; et il a des parents, des amis et des domestiques, dont il se fera un secours contre votre ressentiment.

SYLVESTRE – C'est ce que je demande, morbleu ! c'est ce que je demande. *(Il met l'épée à la main, et pousse de tous les côtés,*
40 *comme s'il y avait plusieurs personnes devant lui.)* Ah, tête ! ah, ventre ! que ne le trouvé-je à cette heure avec tout son secours ! Que ne paraît-il à mes yeux au milieu de trente personnes ! Que ne les vois-je fondre sur moi les armes à la main ! Comment, marauds, vous avez la hardiesse de vous
45 attaquer à moi ? Allons, morbleu ! tue, point de quartier. *(Poussant de tous les côtés, comme s'il avait plusieurs personnes à combattre.)* Donnons. Ferme. Poussons. Bon pied, bon œil. Ah ! coquins, ah ! canaille, vous en voulez par là ; je vous en ferai tâter votre soûl. Soutenez, marauds, soutenez. Allons. À
50 cette botte[3]. À cette autre. À celle-ci. À celle-là. *(Se tournant*

notes

1. faquin : homme méprisable.

2. maraud fieffé : vaurien au plus haut degré.

3. botte : coup porté ; terme d'escrime.

du côté d'Argante et de Scapin.) Comment, vous reculez ? Pied ferme, morbleu ! pied ferme.

SCAPIN – Eh, eh, eh ! monsieur, nous n'en sommes pas[1].

SYLVESTRE – Voilà qui vous apprendra à vous oser jouer à
55 moi[2]. *(Il s'éloigne.)*

SCAPIN – Hé bien, vous voyez combien de personnes tuées pour deux cents pistoles. Oh sus ! je vous souhaite une bonne fortune.

ARGANTE, *tout tremblant* – Scapin.

60 SCAPIN – Plaît-il ?

ARGANTE – Je me résous à donner les deux cents pistoles.

SCAPIN – J'en suis ravi pour l'amour de vous.

ARGANTE – Allons le trouver, je les ai sur moi.

SCAPIN – Vous n'avez qu'à me les donner. Il ne faut pas, pour
65 votre honneur, que vous paraissiez là, après avoir passé ici pour autre que ce que vous êtes ; et, de plus, je craindrais qu'en vous faisant connaître, il n'allât s'aviser de vous demander davantage.

ARGANTE – Oui ; mais j'aurais été bien aise de voir comme
70 je donne mon argent.

SCAPIN – Est-ce que vous vous défiez de moi ?

ARGANTE – Non pas, mais.

SCAPIN – Parbleu, monsieur, je suis fourbe ou je suis honnête homme : c'est l'un des deux. Est-ce que je voudrais vous
75 tromper, et que dans tout ceci j'ai d'autre intérêt que le vôtre et celui de mon maître, à qui vous voulez vous allier ?

notes

1. *nous n'en sommes pas* : nous ne faisons pas partie de vos ennemis.

2. *vous oser jouer à moi* : oser vous attaquer à moi.

Si je vous suis suspect, je ne me mêle plus de rien, et vous n'avez qu'à chercher, dès cette heure, qui accommodera vos affaires.

80 ARGANTE – Tiens donc.

SCAPIN – Non, monsieur, ne me confiez point votre argent. Je serai bien aise que vous vous serviez de quelque autre.

ARGANTE – Mon Dieu ! tiens.

SCAPIN – Non, vous dis-je, ne vous fiez point à moi. Que
85 sait-on si je ne veux point vous attraper votre argent ?

ARGANTE – Tiens, te dis-je, ne me fais point contester davantage. Mais songe à bien prendre tes sûretés[1] avec lui.

SCAPIN – Laissez-moi faire, il n'a pas affaire à un sot.

ARGANTE – Je vais t'attendre chez moi.

90 SCAPIN – Je ne manquerai pas d'y aller. *(Seul.)* Et un. Je n'ai qu'à chercher l'autre. Ah, ma foi ! le voici. Il semble que le Ciel, l'un après l'autre, les amène dans mes filets.

notes

1. prendre tes sûretés : faire très attention.

Au fil du texte

Questions sur l'acte II, scène 6 (pages 65 à 68)

Que s'est-il passé entre-temps ?

1. Sylvestre est entré en scène *« déguisé en spadassin »*. En remontant jusqu'à la scène 5 de l'acte I, relevez les trois passages où Scapin laisse entendre, puis annonce une telle apparition de Sylvestre.

Avez-vous bien lu ?

2. Comment Sylvestre entre-t-il en scène ?

3. Que fait-il ? Est-il immobile et silencieux, par exemple ?

4. Que ressent Argante en le voyant et en l'entendant ?

5. Où se tient Argante ?

6. L'effet que produit Sylvestre sur Argante est-il celui qu'espérait Scapin ? Développez votre réponse.

7. Quel est le sentiment qui pousse Argante à donner à Scapin la somme que celui-ci lui demande ?

Étudier le vocabulaire et la grammaire

8. Quel est le signe de ponctuation le plus employé dans le discours de Sylvestre ?

9. Quels sont les modes verbaux les plus représentés dans les phrases de Sylvestre ?

10. Les phrases de Sylvestre sont-elles toutes des phrases verbales ?

11. Ces phrases sont-elles reliées entre elles par des mots de liaison* ?

ÉTUDIER LE GENRE

12. En vous reportant à la présentation de la page 131, dites à quel genre précis appartient cette scène.

13. Dans la réplique des lignes 38 à 52, comparez les propos de Sylvestre et les didascalies* qui les accompagnent.

mots de liaison : mots invariables *(et, car, donc, or, mais…)* qui se placent entre deux phrases et qui marquent une étape dans un raisonnement ou une succession de faits.

didascalies : indications de mise en scène données par l'auteur.

ÉTUDIER L'ÉCRITURE

14. Comment s'appellent les exclamations telles que *« Par la mort ! par la tête ! par le ventre ! »* (l. 9) ?

ÉTUDIER LE COMIQUE

15. Complétez les phrases suivantes à l'aide des mots proposés :
les éléments – comique – l'attitude – situation – les gestes – mouvement.

Le déguisement et ……………… de Sylvestre dans son rôle de spadassin terrifiant, ………………… tremblante d'Argante mourant de peur sont …………… essentiels qui rendent cette scène ………………… . Les formes de comique mises ici en œuvre par Molière sont le comique de ………………… et de ………………… .

16. Quels sont les deux nouveaux procédés comiques que vous venez de découvrir ?

À vos plumes !

17. Récrivez en langage d'aujourd'hui les différents propos du spadassin des lignes 38 à 52.

Mise en scène

18. Imaginez les gestes de Scapin et Argante après le départ de Sylvestre (l. 59 à 92).

Lire l'image

19. Quel moment illustre la photo de la page 64 ?

20. À votre avis, qu'a voulu photographier l'auteur de cette photo ?

21. Le spadassin de la photo porte-t-il un costume de l'époque ?

22. Qu'a voulu exprimer le metteur en scène en choisissant un tel déguisement ?

Scène 7

GÉRONTE, SCAPIN

SCAPIN, *feignant de ne pas voir Géronte* – Ô Ciel ! ô disgrâce[1] imprévue ! ô misérable père ! Pauvre Géronte, que feras-tu ?

GÉRONTE, *à part* – Que dit-il là de moi, avec ce visage affligé ?

SCAPIN, *même jeu* – N'y a-t-il personne qui puisse me dire où 5 est le seigneur Géronte ?

GÉRONTE – Qu'y a-t-il, Scapin ?

SCAPIN, *courant sur le théâtre, sans vouloir entendre, ni voir Géronte* – Où pourrai-je le rencontrer, pour lui dire cette infortune[2] ?

GÉRONTE, *courant après Scapin* – Qu'est-ce que c'est donc ?

10 SCAPIN, *même jeu* – En vain je cours de tous côtés pour le pouvoir trouver.

GÉRONTE – Me voici.

SCAPIN, *même jeu* – Il faut qu'il soit caché en quelque endroit qu'on ne puisse point deviner.

15 GÉRONTE, *arrêtant Scapin* – Holà ! es-tu aveugle, que tu ne me vois pas ?

SCAPIN – Ah ! monsieur, il n'y a pas moyen de vous rencontrer.

GÉRONTE – Il y a une heure que je suis devant toi. Qu'est-ce que c'est donc qu'il y a ?

20 SCAPIN – Monsieur...

GÉRONTE – Quoi ?

SCAPIN – Monsieur, votre fils...

GÉRONTE – Hé bien ! mon fils...

SCAPIN – Est tombé dans une disgrâce la plus étrange du 25 monde.

notes

1. *disgrâce :* malheur.

2. *infortune :* malheur survenu par hasard.

GÉRONTE – Et quelle ?

SCAPIN – Je l'ai trouvé tantôt tout triste de je ne sais quoi que vous lui avez dit, où vous m'avez mêlé assez mal à propos ; et, cherchant à divertir[1] cette tristesse, nous nous sommes
30 allés promener sur le port. Là, entre autres plusieurs choses, nous avons arrêté nos yeux sur une galère turque assez bien équipée. Un jeune Turc de bonne mine nous a invités d'y entrer, et nous a présenté la main. Nous y avons passé ; il nous a fait mille civilités[2], nous a donné la collation[3], où
35 nous avons mangé des fruits les plus excellents qui se puissent voir, et bu du vin que nous avons trouvé le meilleur du monde.

GÉRONTE – Qu'y a-t-il de si affligeant à tout cela ?

SCAPIN – Attendez, monsieur, nous y voici. Pendant que
40 nous mangions, il a fait mettre la galère en mer, et, se voyant éloigné du port, il m'a fait mettre dans un esquif[4], et m'envoie vous dire que, si vous ne lui envoyez par moi tout à l'heure cinq cents écus, il va vous emmener votre fils en Alger.

45 GÉRONTE – Comment, diantre ! cinq cents écus ?

SCAPIN – Oui, monsieur ; et, de plus, il ne m'a donné pour cela que deux heures.

GÉRONTE – Ah ! le pendard de Turc, m'assassiner de la façon !

SCAPIN – C'est à vous, monsieur, d'aviser promptement aux
50 moyens de sauver des fers[5] un fils que vous aimez avec tant de tendresse.

GÉRONTE – Que diable allait-il faire dans cette galère ?

notes

1. divertir : écarter.
2. civilités : politesses.
3. collation : repas léger.
4. esquif : petit bateau.
5. fers : esclavage.

SCAPIN – Il ne songeait pas à ce qui est arrivé.

GÉRONTE – Va-t'en, Scapin, va-t'en vite dire à ce Turc que je
55 vais envoyer la justice après lui.

SCAPIN – La justice en pleine mer ! Vous moquez-vous des gens ?

GÉRONTE – Que diable allait-il faire dans cette galère ?

SCAPIN – Une méchante destinée conduit quelquefois les
60 personnes.

GÉRONTE – Il faut, Scapin, il faut que tu fasses ici l'action d'un serviteur fidèle.

SCAPIN – Quoi, monsieur ?

GÉRONTE – Que tu ailles dire à ce Turc qu'il me renvoie mon
65 fils, et que tu te mettes à sa place jusqu'à ce que j'aie amassé la somme qu'il demande.

SCAPIN – Eh ! monsieur, songez-vous à ce que vous dites ? et vous figurez-vous que ce Turc ait si peu de sens, que d'aller recevoir un misérable comme moi à la place de
70 votre fils ?

GÉRONTE – Que diable allait-il faire dans cette galère ?

SCAPIN – Il ne devinait pas ce malheur. Songez, monsieur, qu'il ne m'a donné que deux heures.

GÉRONTE – Tu dis qu'il demande...

75 SCAPIN – Cinq cents écus.

GÉRONTE – Cinq cents écus ! N'a-t-il point de conscience ?

SCAPIN – Vraiment oui, de la conscience à un Turc !

GÉRONTE – Sait-il bien ce que c'est que cinq cents écus ?

SCAPIN – Oui, monsieur, il sait que c'est mille cinq cents
80 livres.

GÉRONTE – Croit-il, le traître, que mille cinq cents livres se trouvent dans le pas d'un cheval ?

SCAPIN – Ce sont des gens qui n'entendent point de raison.

GÉRONTE – Mais que diable allait-il faire à cette galère ?

85 SCAPIN – Il est vrai ; mais quoi ? on ne prévoyait pas les choses. De grâce, monsieur, dépêchez.

GÉRONTE – Tiens, voilà la clef de mon armoire.

SCAPIN – Bon.

GÉRONTE – Tu l'ouvriras.

90 SCAPIN – Fort bien.

GÉRONTE – Tu trouveras une grosse clef du côté gauche, qui est celle de mon grenier.

SCAPIN – Oui.

GÉRONTE – Tu iras prendre toutes les hardes[1] qui sont dans 95 cette grande manne[2], et tu les vendras aux fripiers[3] pour aller racheter mon fils.

SCAPIN, *en lui rendant la clef* – Eh ! monsieur, rêvez-vous ? Je n'aurais pas cent francs de tout ce que vous dites ; et, de plus, vous savez le peu de temps qu'on m'a donné.

100 GÉRONTE – Mais que diable allait-il faire à cette galère ?

SCAPIN – Oh ! que de paroles perdues ! Laissez là cette galère, et songez que le temps presse, et que vous courez risque de perdre votre fils. Hélas ! mon pauvre maître, peut-être que je ne te verrai de ma vie, et qu'à l'heure que 105 je parle, on t'emmène esclave en Alger. Mais le Ciel me sera témoin que j'ai fait pour toi tout ce que j'ai pu, et que si tu manques à[4] être racheté, il n'en faut accuser que le peu d'amitié[5] d'un père.

notes

1. hardes : vieux vêtements.

2. manne : panier en osier.

3. fripiers : marchands de vieux vêtements.

4. si tu manques à : si tu n'as pas la possibilité de.

5. amitié : amour.

GÉRONTE – Attends, Scapin, je m'en vais quérir[1] cette somme.

110 SCAPIN – Dépêchez-vous donc vite, monsieur, je tremble que l'heure ne sonne.

GÉRONTE – N'est-ce pas quatre cents écus que tu dis ?

SCAPIN – Non, cinq cents écus.

GÉRONTE – Cinq cents écus ?

115 SCAPIN – Oui.

GÉRONTE – Que diable allait-il faire à cette galère ?

SCAPIN – Vous avez raison. Mais hâtez-vous.

GÉRONTE – N'y avait-il point d'autre promenade ?

SCAPIN – Cela est vrai. Mais faites promptement.

120 GÉRONTE – Ah, maudite galère !

SCAPIN, *à part* – Cette galère lui tient au cœur.

GÉRONTE – Tiens, Scapin, je ne me souvenais pas que je viens justement de recevoir cette somme en or, et je ne croyais pas qu'elle dût m'être si tôt ravie[2]. *(Il lui présente sa bourse,*
125 *qu'il ne laisse pourtant pas aller ; et, dans ses transports*[3]*, il fait aller son bras de côté et d'autre, et Scapin le sien pour avoir la bourse.)* Tiens ! Va-t'en racheter mon fils.

SCAPIN, *tendant la main* – Oui, monsieur.

GÉRONTE, *retenant la bourse qu'il fait semblant de vouloir donner*
130 *à Scapin* – Mais dis à ce Turc que c'est un scélérat.

SCAPIN, *tendant toujours la main* – Oui.

GÉRONTE, *même jeu* – Un infâme.

SCAPIN – Oui.

notes

1. ***quérir :*** chercher.
2. ***ravie :*** enlevée.
3. ***transports :*** très grande agitation.

GÉRONTE, *même jeu* – Un homme sans foi, un voleur.

135 SCAPIN – Laissez-moi faire.

GÉRONTE, *même jeu* – Qu'il me tire cinq cents écus contre toute sorte de droit.

SCAPIN – Oui.

GÉRONTE, *même jeu* – Que je ne les lui donne ni à la mort ni
140 à la vie.

SCAPIN – Fort bien.

GÉRONTE – Et que, si jamais je l'attrape, je saurai me venger de lui.

SCAPIN – Oui.

145 GÉRONTE, *remettant sa bourse dans sa poche et s'en allant* – Va, va vite requérir mon fils.

SCAPIN, *allant après lui* – Holà ! monsieur.

GÉRONTE – Quoi ?

SCAPIN – Où est donc cet argent ?

150 GÉRONTE – Ne te l'ai-je pas donné ?

SCAPIN – Non, vraiment, vous l'avez remis dans votre poche.

GÉRONTE – Ah ! c'est la douleur qui me trouble l'esprit.

SCAPIN – Je le vois bien.

GÉRONTE – Que diable allait-il faire dans cette galère ? Ah,
155 maudite galère ! traître de Turc à tous les diables !

SCAPIN, *seul* – Il ne peut digérer les cinq cents écus que je lui arrache ; mais il n'est pas quitte envers moi, et je veux qu'il me paie en une autre monnaie l'imposture[1] qu'il m'a faite auprès de son fils.

notes

1. imposture : trahison.

Marcel Maréchal (Scapin) et Jean-Pierre Moulin (Géronte) dans une mise en scène de Maréchal (1981).

Au fil du texte

Questions sur l'acte II, scène 7 (pages 72 à 77)

AVEZ-VOUS BIEN LU ?

1. Quelles sont les différentes solutions que trouve Géronte pour éviter de se défaire de son argent ?

2. L'avarice de Géronte est-elle une surprise ?

3. Quel est le sentiment qui pousse Géronte à donner à Scapin la somme que celui-ci lui demande ?

4. Cette scène est extrêmement célèbre. Trouvez la phrase qui, entre autres raisons, lui vaut une telle célébrité. Qu'a-t-elle de remarquable ?

acte de discours : manière dont on s'adresse à quelqu'un pour provoquer ses réponses et ses réactions.

aparté : ce que l'acteur est censé dire « à part soi », sans que nul sur la scène ne l'entende.

ÉTUDIER LE VOCABULAIRE ET LA GRAMMAIRE

5. Analysez l'emploi de *« que »* aux lignes 130, 136, 139 et 142.

6. Comment comprenez-vous l'expression de Géronte (l. 139-140) : *« je ne les lui donne ni à la mort ni à la vie »*.

ÉTUDIER LE DISCOURS

7. Entourez la (ou les) bonne(s) fin(s) de phrase :
Quand Géronte entre en scène, Scapin...

a) ne le voit pas.
b) le voit, mais fait comme s'il ne le voyait pas.
c) le voit et le regarde.
d) ne l'entend pas.
e) l'entend.
f) l'entend, mais fait comme s'il ne l'entendait pas.

8. Décrivez en quatre phrases et en utilisant les mots de la liste ci-dessous les actes de discours* de Géronte depuis le début de la scène jusqu'à la ligne 16 comprise.
commenter en aparté – s'interroger – se présenter – interpeller.*

9. Quels sont les destinataires* des actes de discours de Scapin dans ces lignes ?

10. Quels sont ceux des actes de discours de Géronte dans ces lignes ?

11. Quelles sont les intentions de Scapin ? Cochez la (ou les) réponse(s) :

- ☐ obtenir une réponse des spectateurs à ses questions
- ☐ obtenir une réponse de Géronte à ses questions
- ☐ susciter l'inquiétude et la curiosité de Géronte
- ☐ susciter l'inquiétude et la curiosité des spectateurs
- ☐ faire rire le public qui comprend ce que Géronte ne comprend pas

destinataire : celui à qui l'on parle.

12. Cherchez la signification du mot *« dialogue »* dans un dictionnaire.

13. Le passage des lignes 1 à 16 constitue-t-il un dialogue ? Si oui, pourquoi ? Si non, pourquoi ? À quel moment le dialogue se noue-t-il entre Géronte et Scapin ?

ÉTUDIER LE COMIQUE

14. Repérez dans cette scène certains des procédés comiques que vous avez découverts dans les scènes précédentes.

À VOS PLUMES !

15. Développez les répliques de Géronte des lignes 1 à 14 en imaginant que celui-ci laisse libre cours à son inquiétude.

16. Imaginez, dans un développement d'une vingtaine de lignes, que Scapin invente une autre histoire pour obtenir cinq cents écus de Géronte.

Scène 8

OCTAVE, LÉANDRE, SCAPIN

OCTAVE – Hé bien ! Scapin, as-tu réussi pour moi dans ton entreprise ?

LÉANDRE – As-tu fait quelque chose pour tirer mon amour de la peine où il est ?

5 SCAPIN, *à Octave* – Voilà deux cents pistoles que j'ai tirées de votre père.

OCTAVE – Ah ! que tu me donnes de joie !

SCAPIN, *à Léandre* – Pour vous, je n'ai pu faire rien.

LÉANDRE, *veut s'en aller* – Il faut donc que j'aille mourir ; et
10 je n'ai que faire de vivre[1], si Zerbinette m'est ôtée.

SCAPIN – Holà, holà ! tout doucement. Comme diantre vous allez vite !

LÉANDRE *se retourne* – Que veux-tu que je devienne ?

SCAPIN – Allez, j'ai votre affaire ici.

15 LÉANDRE *revient* – Ah ! tu me redonnes la vie.

SCAPIN – Mais à condition que vous me permettrez à moi une petite vengeance contre votre père, pour le tour qu'il m'a fait.

LÉANDRE – Tout ce que tu voudras.

20 SCAPIN – Vous me le promettez devant témoin ?

LÉANDRE – Oui.

SCAPIN – Tenez, voilà cinq cents écus.

LÉANDRE – Allons-en promptement acheter celle que j'adore.

notes

1. et je n'ai que faire de vivre : puisque je n'ai pas de raison de vivre.

Scène 1

ZERBINETTE, HYACINTE, SCAPIN, SYLVESTRE

SYLVESTRE – Oui, vos amants[1] ont arrêté entre eux[2] que vous fussiez ensemble ; et nous nous acquittons de l'ordre qu'ils nous ont donné.

HYACINTE, *à Zerbinette* – Un tel ordre n'a rien qui ne me
5 soit fort agréable. Je reçois avec joie une compagne de la sorte ; et il ne tiendra pas à moi que l'amitié qui est entre les personnes que nous aimons ne se répande entre nous deux.

ZERBINETTE – J'accepte la proposition, et ne suis point
10 personne à reculer lorsqu'on m'attaque d'amitié.

SCAPIN – Et lorsque c'est d'amour qu'on vous attaque ?

notes

1. amants : amoureux dont le sentiment est partagé par celles qu'ils aiment.

2. arrêté entre eux : décidé ensemble.

ZERBINETTE – Pour l'amour, c'est une autre chose : on y court un peu plus de risque, et je n'y suis pas si hardie.

SCAPIN – Vous l'êtes, que je crois, contre mon maître main-
15 tenant ; et ce qu'il vient de faire pour vous doit vous donner du cœur pour répondre comme il faut à sa passion.

ZERBINETTE – Je ne m'y fie encore que de la bonne sorte[1] ; et ce n'est pas assez pour m'assurer entièrement[2], que ce qu'il vient de faire. J'ai l'humeur enjouée, et sans cesse je
20 ris ; mais, tout en riant, je suis sérieuse sur de certains chapitres et ton maître s'abusera[3], s'il croit qu'il lui suffise de m'avoir achetée pour me voir toute à lui. Il doit lui en coûter autre chose que de l'argent ; et, pour répondre à son amour de la manière qu'il souhaite, il me faut un don de
25 sa foi[4] qui soit assaisonné de certaines cérémonies qu'on trouve nécessaires.

SCAPIN – C'est là aussi comme il l'entend. Il ne prétend à vous qu'en tout bien et en tout honneur ; et je n'aurais pas été homme à me mêler de cette affaire, s'il avait une autre
30 pensée.

ZERBINETTE – C'est ce que je veux croire, puisque vous me le dites ; mais du côté du père, j'y prévois des empêchements.

SCAPIN – Nous trouverons moyen d'accommoder les choses.

35 HYACINTE, *à Zerbinette* – La ressemblance de nos destins doit contribuer encore à faire naître notre amitié ; et nous nous voyons toutes deux dans les mêmes alarmes, toutes deux exposées à la même infortune.

notes

1. *de la bonne sorte :* en tout bien tout honneur.

2. *m'assurer entièrement :* sous entendre : « de l'honnêteté de ses intentions ».

3. *s'abusera :* se trompera.

4. *sa foi :* sa parole, sa promesse.

ZERBINETTE – Vous avez cet avantage, au moins, que vous
40 savez de qui vous êtes née, et que l'appui de vos parents, que vous pouvez faire connaître, est capable d'ajuster tout, peut assurer votre bonheur, et faire donner un consentement au mariage qu'on trouve fait. Mais pour moi, je ne rencontre aucun secours dans ce que je puis être, et l'on
45 me voit dans un état qui n'adoucira pas les volontés d'un père qui ne regarde que le bien[1].

HYACINTE – Mais aussi avez-vous cet avantage, que l'on ne tente point par un autre parti[2] celui que vous aimez.

ZERBINETTE – Le changement du cœur d'un amant n'est pas
50 ce qu'on peut le plus craindre. On se peut naturellement croire assez de mérite pour garder sa conquête ; et ce que je vois de plus redoutable dans ces sortes d'affaires, c'est la puissance paternelle, auprès de qui tout le mérite ne sert de rien.

HYACINTE – Hélas ! pourquoi faut-il que de justes inclina-
55 tions se trouvent traversées[3] ? La douce chose que d'aimer, lorsque l'on ne voit point d'obstacle à ces aimables chaînes dont deux cœurs se lient ensemble !

SCAPIN – Vous vous moquez. La tranquillité en amour est un calme désagréable ; un bonheur tout uni nous devient
60 ennuyeux ; il faut du haut et du bas dans la vie ; et les difficultés qui se mêlent aux choses réveillent les ardeurs, augmentent les plaisirs.

ZERBINETTE – Mon Dieu, Scapin, fais-nous un peu ce récit, qu'on m'a dit qui est si plaisant, du stratagème dont tu t'es
65 avisé pour tirer de l'argent de ton vieillard avare. Tu sais

notes

1. le bien : la richesse.

2. parti : personne qu'il est avantageux d'épouser compte tenu de sa fortune et de sa naissance.

3. traversées : gênées.

qu'on ne perd point sa peine lorsqu'on me fait un conte, et que je le paie assez bien par la joie qu'on m'y voit prendre.

SCAPIN – Voilà Sylvestre qui s'en acquittera aussi bien que moi. J'ai dans la tête certaine petite vengeance, dont je vais
70 goûter le plaisir.

SYLVESTRE – Pourquoi, de gaieté de cœur, veux-tu chercher à t'attirer de méchantes affaires ?

SCAPIN – Je me plais à tenter des entreprises hasardeuses.

SYLVESTRE – Je te l'ai déjà dit, tu quitterais le dessein que tu
75 as, si tu m'en voulais croire.

SCAPIN – Oui, mais c'est moi que j'en croirai.

SYLVESTRE – À quoi diable te vas-tu amuser ?

SCAPIN – De quoi diable te mets-tu en peine ?

SYLVESTRE – C'est que je vois que sans nécessité tu vas cou-
80 rir risque de t'attirer une venue[1] de coups de bâton.

SCAPIN – Hé bien ! c'est aux dépens de mon dos, et non pas du tien.

SYLVESTRE – Il est vrai que tu es maître de tes épaules, et tu en disposeras comme il te plaira.

85 SCAPIN – Ces sortes de périls ne m'ont jamais arrêté, et je hais ces cœurs pusillanimes[2] qui, pour trop prévoir les suites des choses, n'osent rien entreprendre.

ZERBINETTE, *à Scapin* – Nous aurons besoin de tes soins.

SCAPIN – Allez, je vous irai bientôt rejoindre. Il ne sera pas
90 dit qu'impunément on m'ait mis en état de me trahir moi-même et de découvrir des secrets qu'il était bon qu'on ne sût pas.

notes

1. *une venue :* une volée.

2. *pusillanimes :* faibles et manquant de courage.

Scène 2

GÉRONTE, SCAPIN

GÉRONTE – Hé bien, Scapin, comment va l'affaire de mon fils ?

SCAPIN – Votre fils, monsieur, est en lieu de sûreté[1], mais vous courez maintenant, vous, le péril le plus grand du monde, et
5 je voudrais pour beaucoup que vous fussiez dans votre logis.

GÉRONTE – Comment donc ?

SCAPIN – À l'heure que je parle, on vous cherche de toutes parts pour vous tuer.

GÉRONTE – Moi ?

10 SCAPIN – Oui.

GÉRONTE – Et qui ?

SCAPIN – Le frère de cette personne qu'Octave a épousée. Il croit que le dessein que vous avez de mettre votre fille à la place que tient sa sœur est ce qui pousse le plus fort à faire
15 rompre leur mariage ; et, dans cette pensée, il a résolu hautement[2] de décharger[3] son désespoir sur vous et vous ôter la vie pour venger son honneur. Tous ses amis, gens d'épée comme lui, vous cherchent de tous les côtés et demandent de vos nouvelles. J'ai vu même deçà et delà des soldats
20 de sa compagnie qui interrogent ceux qu'ils trouvent, et occupent par pelotons toutes les avenues[4] de votre maison. De sorte que vous ne sauriez aller chez vous, vous ne sauriez faire un pas ni à droit ni à gauche, que vous ne tombiez dans leurs mains.

notes

1. ***en lieu de sûreté :*** en sécurité.
2. ***hautement :*** sans s'en cacher.
3. ***décharger :*** donner libre cours à.
4. ***les avenues :*** les accès.

25 GÉRONTE – Que ferai-je, mon pauvre Scapin ?

SCAPIN – Je ne sais pas, monsieur, et voici une étrange affaire. Je tremble pour vous depuis les pieds jusqu'à la tête, et... Attendez. *(Il se retourne, et fait semblant d'aller voir au bout du théâtre s'il n'y a personne.)*

30 GÉRONTE, *en tremblant* – Eh ?

SCAPIN, *en revenant* – Non, non, non, ce n'est rien.

GÉRONTE – Ne saurais-tu trouver quelque moyen pour me tirer de peine ?

SCAPIN – J'en imagine bien un ; mais je courrais risque, moi,
35 de me faire assommer.

GÉRONTE – Eh ! Scapin, montre-toi serviteur zélé. Ne m'abandonne pas, je te prie.

SCAPIN – Je le veux bien. J'ai une tendresse pour vous qui ne saurait souffrir[1] que je vous laisse sans secours.

40 GÉRONTE – Tu en seras récompensé, je t'assure ; et je te promets cet habit-ci, quand je l'aurai un peu usé.

SCAPIN – Attendez. Voici une affaire[2] que je me suis trouvée fort à propos pour vous sauver. Il faut que vous vous mettiez dans ce sac, et que...

45 GÉRONTE, *croyant voir quelqu'un* – Ah !

SCAPIN – Non, non, non, non, ce n'est personne. Il faut, dis-je, que vous vous mettiez là dedans, et que vous gardiez[3] de remuer en aucune façon. Je vous chargerai sur mon dos, comme un paquet de quelque chose, et je vous porterai
50 ainsi, au travers de vos ennemis, jusque dans votre maison, où, quand nous serons une fois, nous pourrons nous barri-

notes

1. souffrir : supporter, tolérer. ***3. gardiez :*** évitiez.

2. une affaire : un objet.

cader et envoyer quérir[1] main-forte contre la violence.

GÉRONTE – L'invention est bonne.

SCAPIN – La meilleure du monde. Vous allez voir. *(À part.)* Tu
55 me paieras l'imposture[2].

GÉRONTE – Eh ?

SCAPIN – Je dis que vos ennemis seront bien attrapés. Mettez-vous bien jusqu'au fond, et surtout prenez garde de ne vous point montrer, et de ne branler[3] pas, quelque
60 chose qui puisse arriver.

GÉRONTE – Laisse-moi faire. Je saurai me tenir...

SCAPIN – Cachez-vous : voici un spadassin qui vous cherche. *(En contrefaisant sa voix.)*[4] « Quoi ! jé n'aurai pas l'abantage dé tuer cé Géronte et quelqu'un par charité né m'ensei-
65 gnera pas où il est ? » *(À Géronte, de sa voix ordinaire.)* Ne branlez pas. *(Reprenant son ton contrefait.)* « Cadédis ! jé lé trouberai, sé cachât-il au centre dé la terre. » *(À Géronte, avec son ton naturel.)* Ne vous montrez pas. *(Tout le langage gascon est supposé de celui qu'il contrefait, et le reste de lui.)* « Oh,
70 l'homme au sac ! – Monsieur. – Jé té vaille[5] un louis, et m'enseigne où put être Géronte. – Vous cherchez le seigneur Géronte ? – Oui, mordi ! jé lé cherche. – Et pour quelle affaire, monsieur ? – Pour quelle affaire ? – Oui. – Jé beux, cadédis ! lé faire mourir sous les coups de vaton.
75 – Oh ! monsieur, les coups de bâton ne se donnent point à des gens comme lui, et ce n'est pas un homme à être traité de la sorte. – Qui, cé fat dé Géronte, cé maraud, cé vélître[6] ? – Le seigneur Géronte, monsieur, n'est ni fat, ni

notes

1. ***quérir :*** chercher.
2. ***imposture :*** trahison.
3. ***branler :*** bouger.
4. ***l. 63 à 88 :*** imitation du parler gascon. Remplacez les *b* par des *v* et *vice versa*.
5. ***vaille*** = baille, c'est-à-dire donne.
6. ***vélître*** = bélître : « gros gueux qui mendie par fainéantise et qui pourrait bien gagner sa vie » (dictionnaire de Furetière).

Philippe Torreton (Scapin) et Gérard Giroudon (Géronte) dans une mise en scène de Jean-Louis Benoît à la Comédie-Française (1997).

maraud, ni belître, et vous devriez, s'il vous plaît, parler
80 d'autre façon. – Comment, tu mé traîtes, à moi, avec cette hautur ? – Je défends, comme je dois, un homme d'honneur qu'on offense. – Est-ce que tu es des amis dé cé Géronte ? – Oui, monsieur, j'en suis. – Ah ! cadédis ! tu es de ses amis, à la vonne hure ! *(Il donne plusieurs coups de*
85 *bâton sur le sac.)* Tiens ! boilà cé que jé té vaille pour lui. – Ah, ah, ah, ah, monsieur ! Ah, ah, monsieur ! tout beau ! Ah, doucement, ah, ah, ah ! – Va, porte-lui cela de ma part. Adiusias[1] ! » Ah ! diable soit le Gascon ! Ah ! *(En se plaignant et remuant le dos, comme s'il avait reçu les coups de*
90 *bâton.)*

GÉRONTE, *mettant la tête hors du sac* – Ah ! Scapin, je n'en puis plus.

SCAPIN – Ah ! monsieur, je suis tout moulu, et les épaules me font un mal épouvantable.

95 GÉRONTE – Comment ? c'est sur les miennes qu'il a frappé.

SCAPIN – Nenni, monsieur, c'était sur mon dos qu'il frappait.

GÉRONTE – Que veux-tu dire ? J'ai bien senti les coups, et les sens bien encore.

SCAPIN – Non, vous dis-je, ce n'était que le bout du bâton
100 qui a été jusque sur vos épaules.

GÉRONTE – Tu devais donc te retirer un peu plus loin, pour m'épargner...

SCAPIN *lui remet la tête dans le sac* – Prenez garde. En voici un autre qui a la mine d'un étranger. *(Cet endroit est de même*
105 *celui du Gascon pour le changement de langage[2], et le jeu de*

notes

1. *adiusas :* adieu ; *cf.* « adios » en espagnol.

2. *l. 106 à 134 :* imitation du parler basque. Remplacez les *d* par des *t*.

Jean-Louis Barrault (Scapin)
et Pierre Bertin (Géronte)
dans une mise en scène
de Louis Jouvet
au théâtre Marigny (1949).

théâtre.) « Parti ! moi courir comme une Basque[1], et moi ne pouvre[2] point troufair[3] de tout le jour sti diable de Gironte ? » *(À Géronte, avec sa voix ordinaire.)* Cachez-vous bien. « Dites-moi un peu fous, monsir l'homme, s'il ve
110 plaît, fous savoir point où l'est sti Gironte que moi cherchair ? – Non, monsieur, je ne sais point où est Géronte. – Dites-moi-le fous frenchemente, moi li fouloir pas grande chose à lui. L'est seulemente pou li donnair un petite régale sur le dos d'une douzaine de coups de
115 bâtonne, et de trois ou quatre petites coups d'épée au trafers de son poitrine. – Je vous assure, monsieur, que je ne sais pas où il est. – Il me semble que j'y fois remuair quelque chose dans sti sac. – Pardonnez-moi, monsieur. – Li est assurémente quelque histoire là-tetans. – Point du
120 tout, monsieur. – Moi l'avoir enfie de tonner ain coup d'épée dans ste sac. – Ah ! monsieur, gardez-vous-en bien. – Montre-le-moi un peu fous ce que c'être là. – Tout beau ! monsieur. – Quement, tout beau ? – Vous n'avez que faire de vouloir voir ce que je porte. – Et moi, je le
125 fouloir foir, moi. – Vous ne le verrez point. – Ahi, que de badinemente ! – Ce sont hardes qui m'appartiennent. – Montre-moi fous, te dis-je. – Je n'en ferai rien. – Toi ne faire rien ? – Non. – Moi pailler de ste bâtonne dessus les épaules de toi. – Je me moque de cela. – Ah ! toi faire le
130 trole ! – *(Donnant des coups de bâton sur le sac et criant comme s'il les recevait.)* – Ahi, ahi, ahi, ah ; monsieur, ah, ah, ah, ah ! – Jusqu'au refoir. L'être là un petit leçon pour li apprendre à toi à parlair insolentemente. » Ah ! peste soit du baragouineux ! Ah !

notes

1. courir comme une Basque : courir comme un Basque. Proverbe.

2. pouvre : pouvoir.

3. troufair : trouver.

135 GÉRONTE, *sortant la tête du sac* – Ah ! je suis roué[1].

SCAPIN – Ah ! je suis mort.

GÉRONTE – Pourquoi diantre faut-il qu'ils frappent sur mon dos ?

SCAPIN, *lui remettant la tête dans le sac* – Prenez garde, voici
140 une demi-douzaine de soldats tout ensemble. *(Il contrefait plusieurs personnes ensemble.)* « Allons, tâchons à trouver ce Géronte, cherchons partout. N'épargnons point nos pas. Courons toute la ville. N'oublions aucun lieu. Visitons tout. Furetons de tous les côtés. Par où irons-nous ?
145 Tournons par là. Non, par ici. À gauche. À droit. Nenni. Si fait. » *(À Géronte, avec sa voix ordinaire.)* Cachez-vous bien. « Ah ! camarades, voici son valet. Allons, coquin, il faut que tu nous enseignes où est ton maître. – Eh ! messieurs, ne me maltraitez point. – Allons, dis-nous où il est. Parle.
150 Hâte-toi. Expédions. Dépêche vite. Tôt. – Eh ! messieurs, doucement. *(Géronte met doucement la tête hors du sac et aperçoit la fourberie de Scapin.)* – Si tu ne nous fais trouver ton maître tout à l'heure, nous allons faire pleuvoir sur toi une ondée de coups de bâton. – J'aime mieux souffrir toute
155 chose que de vous découvrir mon maître. – Nous allons t'assommer. – Faites tout ce qu'il vous plaira. – Tu as envie d'être battu ? – Je ne trahirai point mon maître. – Ah ! tu en veux tâter ? Voilà... » Oh ! *(Comme il est prêt de frapper, Géronte sort du sac et Scapin s'enfuit.)*

160 GÉRONTE – Ah, infâme ! Ah, traître ! Ah, scélérat ! C'est ainsi que tu m'assassines !

notes

1. je suis roué : Géronte dit qu'il est dans le même état que s'il avait subi le supplice de la roue.

Au fil du texte

Questions sur l'acte III, scène 2 (pages 86 à 93)

QUE S'EST-IL PASSÉ ENTRE-TEMPS ?

1. En remontant jusqu'à la scène 7 de l'acte II, relevez les trois passages dans lesquels Scapin annonce qu'il se vengera de Géronte.

2. Quels personnages se sont rencontrés à la scène 1 de l'acte II ?

3. Est-ce la première fois qu'ils entrent en scène ?

énonciateur : celui qui parle.

destinataire : celui à qui l'on parle.

énoncé : suite de mots émise par celui qui parle, au moment et à l'endroit précis où il émet cette suite de mots.

AVEZ-VOUS BIEN LU ?

4. Répondez à chaque question en cochant la case VRAI ou FAUX.

	VRAI	FAUX
a) Scapin n'a pas de mal à persuader Géronte que le beau-frère d'Octave et ses amis veulent le tuer.	☐	☐
b) Après avoir longtemps hésité, Géronte accepte de se cacher dans le sac de Scapin.	☐	☐
c) Le public voit Scapin se battre contre un Gascon, un Basque et plusieurs autres soldats.	☐	☐
d) Dans cette scène, Scapin s'exprime toujours avec sa voix habituelle.	☐	☐
e) Géronte met trois fois la tête hors du sac.	☐	☐
f) Scapin quitte la scène en s'enfuyant.	☐	☐

ÉTUDIER LE DISCOURS

5. Chaque fois que Scapin contrefait sa voix, combien y a-t-il d'énonciateurs*?

6. Lorsque Scapin parle, qui sont les destinataires* de ses énoncés* ?

7. Quel est le but des énoncés de Scapin ? Cochez la (ou les) réponse(s).

☐ délivrer un message
☐ donner des coups de bâton à Géronte
☐ faire rire les spectateurs

8. Pourquoi est-il important pour la situation d'énonciation* que Géronte reste caché dans le sac ?

9. Qu'est-ce qui met fin à la scène 7 et à la situation d'énonciation qui la caractérise ?

situation d'énonciation : on la décrit en identifiant : les personnes qui parlent, les propos échangés, le lieu et le temps où se tiennent ces personnes.

ÉTUDIER LE GENRE

10. Pourquoi cette scène contribue-t-elle à rattacher la pièce au genre de la farce ?

ÉTUDIER L'ÉCRITURE

11. Par quel procédé d'écriture Scapin et les deux spadassins sont-ils distingués ?

ÉTUDIER LE COMIQUE

12. Quels sont les procédés comiques mis en œuvre dans cette scène ?

ÉTUDIER LA PLACE ET LA FONCTION DE L'EXTRAIT

13. En se vengeant de Géronte comme il le fait, Scapin sert-il les amours des jeunes gens ?

14. Dites si cette scène est nécessaire à la progression dramatique de la pièce.

À VOS PLUMES !

15. Imaginez un dialogue où Scapin raconte à Sylvestre ce qui vient de se passer.

LIRE L'IMAGE

16. Comparez les deux photos des pages 89 et 91. À quel moment de la scène ont-elles été prises ? Quelle est l'expression du visage de Scapin sur chacune d'elles ?

Scène 3

ZERBINETTE, GÉRONTE

ZERBINETTE, *en riant, sans voir Géronte* – Ah, ah, je veux prendre un peu l'air.

GÉRONTE, *se croyant seul* – Tu me le payeras, je te jure.

ZERBINETTE, *sans voir Géronte* – Ah, ah, ah, ah, la plaisante
5 histoire ! et la bonne dupe que ce vieillard !

GÉRONTE – Il n'y a rien de plaisant à cela, et vous n'avez que faire d'en rire.

ZERBINETTE – Quoi ? que voulez-vous dire, monsieur ?

GÉRONTE – Je veux dire que vous ne devez pas vous moquer
10 de moi.

ZERBINETTE – De vous ?

GÉRONTE – Oui.

ZERBINETTE – Comment ? qui songe à se moquer de vous ?

GÉRONTE – Pourquoi venez-vous ici me rire au nez ?

15 ZERBINETTE – Cela ne vous regarde point, et je ris toute seule d'un conte qu'on vient de me faire, le plus plaisant qu'on puisse entendre. Je ne sais pas si c'est parce que je suis intéressée dans la chose, mais je n'ai jamais trouvé rien de si drôle qu'un tour qui vient d'être joué par un fils à son
20 père, pour en attraper de l'argent.

GÉRONTE – Par un fils à son père, pour en attraper de l'argent ?

ZERBINETTE – Oui. Pour peu que vous me pressiez, vous me trouverez assez disposée à vous dire l'affaire, et j'ai une
25 démangeaison naturelle à faire part des contes que je sais.

GÉRONTE – Je vous prie de me dire cette histoire.

ZERBINETTE – Je le veux bien. Je ne risquerai pas grand-chose à vous la dire, et c'est une aventure qui n'est pas pour être longtemps secrète. La destinée a voulu que je me trouvasse parmi une bande de ces personnes qu'on appelle Égyptiens, et qui, rôdant de province en province, se mêlent de dire la bonne fortune, et quelquefois de beaucoup d'autres choses. En arrivant dans cette ville, un jeune homme me vit et conçut pour moi de l'amour. Dès ce moment, il s'attache à mes pas, et le voilà d'abord comme tous les jeunes gens, qui croient qu'il n'y a qu'à parler, et qu'au moindre mot qu'ils nous disent, leurs affaires sont faites ; mais il trouva une fierté[1] qui lui fit un peu corriger ses premières pensées. Il fit connaître sa passion aux gens qui me tenaient, et il les trouva disposés à me laisser à lui moyennant quelque somme. Mais le mal de l'affaire était que mon amant se trouvait dans l'état où l'on voit très souvent la plupart des fils de famille, c'est-à-dire qu'il était un peu dénué d'argent ; et il a un père qui, quoique riche, est un avaricieux fieffé[2], le plus vilain[3] homme du monde. Attendez. Ne me saurais-je souvenir de son nom ? Hai ! Aidez-moi un peu. Ne pouvez-vous me nommer quelqu'un de cette ville qui soit connu pour être avare au dernier point ?

GÉRONTE – Non.

ZERBINETTE – Il y a à son nom du ron... ronte. Or... Oronte. Non. Gé... Géronte. Oui, Géronte, justement ; voilà mon vilain, je l'ai trouvé, c'est ce ladre[4]-là que je dis. Pour venir à notre conte, nos gens ont voulu aujourd'hui partir de cette ville ; et mon amant m'allait perdre faute d'argent, si,

notes

1. une fierté : un sentiment de l'honneur.

2. fieffé : au plus haut point, au dernier degré.

3. vilain : avare.

4. ladre : personne très avare.

pour en tirer de son père, il n'avait trouvé du secours dans l'industrie[1] d'un serviteur qu'il a. Pour le nom du serviteur, je le sais à merveille : il s'appelle Scapin ; c'est un homme incomparable, et il mérite toutes les louanges
60 qu'on peut donner.

GÉRONTE, *à part* – Ah ! coquin que tu es !

ZERBINETTE – Voici le stratagème dont il s'est servi pour attraper sa dupe. Ah, ah, ah, ah ! Je ne saurais m'en souvenir que je ne rie de tout mon cœur. Ah, ah, ah ! Il est allé
65 trouver ce chien d'avare, ah, ah, ah, et lui a dit qu'en se promenant sur le port avec son fils, hi, hi, ils avaient vu une galère turque où on les avait invités d'entrer ; qu'un jeune Turc leur y avait donné la collation, ah, que, tandis qu'ils mangeaient, on avait mis la galère en mer ; et que le Turc
70 l'avait renvoyé, lui seul, à terre dans un esquif, avec ordre de dire au père de son maître qu'il emmenait son fils en Alger, s'il ne lui envoyait tout à l'heure cinq cents écus. Ah, ah, ah ! Voilà mon ladre, mon vilain dans de furieuses angoisses ; et la tendresse qu'il a pour son fils fait un com-
75 bat étrange avec son avarice. Cinq cents écus qu'on lui demande sont justement cinq cents coups de poignard qu'on lui donne. Ah, ah, ah ! Il ne peut se résoudre à tirer cette somme de ses entrailles ; et la peine qu'il souffre[2] lui fait trouver cent moyens ridicules pour ravoir son fils. Ah,
80 ah, ah ! Il veut envoyer la justice en mer après la galère du Turc. Ah, ah, ah ! Il sollicite son valet de s'aller offrir à tenir la place de son fils, jusqu'à ce qu'il ait amassé l'argent qu'il n'a pas envie de donner. Ah, ah, ah ! Il abandonne, pour faire les cinq cents écus, quatre ou cinq vieux habits qui

notes

1. industrie : ingéniosité, habileté.

2. souffre : endure.

85 n'en valent pas trente. Ah, ah, ah ! Le valet lui fait comprendre, à tous coups, l'impertinence de ses propositions, et chaque réflexion est douloureusement accompagnée d'un : « Mais que diable allait-il faire à cette galère ? Ah ! maudite galère ! Traître de Turc ! » Enfin, après plusieurs 90 détours, après avoir longtemps gémi et soupiré... Mais il me semble que vous ne riez point de mon conte. Qu'en dites-vous ?

GÉRONTE – Je dis que le jeune homme est un pendard, un insolent, qui sera puni par son père du tour qu'il lui a fait ; 95 que l'Égyptienne est une malavisée, une impertinente, de dire des injures à un homme d'honneur qui saura lui apprendre à venir ici débaucher les enfants de famille ; et que le valet est un scélérat qui sera par Géronte envoyé au gibet avant qu'il soit demain.

Magali Renoir (Zerbinette)
et André Gille (Géronte)
dans une mise en scène
de Pierre Boutron au
théâtre de l'Athénée
(1978).

Au fil du texte

Questions sur l'acte III, scène 3 (pages 97 à 100)

Avez-vous bien lu ?

1. Dressez la liste des malheurs subis par Géronte depuis le début de la pièce.

2. Géronte inspire-t-il la pitié ? Justifiez votre réponse.

3. Reconstituez le début du récit de Zerbinette en mettant les phrases suivantes dans l'ordre chronologique.

a) « En arrivant dans cette ville, un jeune homme me vit et conçut pour moi de l'amour. »

b) « Mais le mal de l'affaire était que mon amant [...] était un peu dénué d'argent ; et il a un père qui, quoique riche, est un avaricieux fieffé, le plus vilain homme du monde. »

c) « La destinée a voulu que je me trouvasse parmi une bande de ces personnes qu'on appelle Égyptiens, et qui, rôdant de province en province, se mêlent de dire la bonne fortune, et quelquefois de beaucoup d'autres choses. »

d) « Mon amant m'allait perdre faute d'argent, si, pour en tirer de son père, il n'avait trouvé du secours dans l'industrie d'un serviteur qu'il a. »

e) « Il fit connaître sa passion aux gens qui me tenaient, et il les trouva disposés à me laisser à lui moyennant quelque somme. »

4. Citez la scène qui fait l'objet de la suite du récit de Zerbinette.

Étudier le vocabulaire et la grammaire

5. Délimitez les passages constitués par le récit de Zerbinette, en précisant les lignes.

6. Quels temps verbaux emploie-t-elle alors ?

7. À quelle personne les verbes sont-ils conjugués ?

8. Quels sont les éléments qui permettent de comprendre ce qui est désigné par le pronom personnel *« il »* ?

9. Lorsque Zerbinette dialogue avec Géronte, à quelle personne sont les verbes ?

10. Quel est alors le temps des verbes ?

11. Quels sont les éléments qui permettent de comprendre ce qui est désigné par les pronoms personnels *« je »* et *« vous »* ?

12. Quelle ville Zerbinette désigne-t-elle lorsqu'elle parle de *« cette ville »* (l. 33, 48, 55) ?

13. Quels sont les éléments qui permettent de comprendre l'emploi de *« cette »* ?

14. Quel est le lieu désigné par l'adverbe *« ici »* (l. 14 et 97) ?

15. Dans quelle situation d'énonciation* se comprend cette indication de lieu ?

16. Quel jour Zerbinette désigne-t-elle lorsqu'elle dit *« aujourd'hui »* (l. 54) ?

17. Quel jour Géronte désigne-t-il lorsqu'il dit *« demain »* (l. 99) ?

18. Dans quelle situation d'énonciation se comprennent ces indications de temps ?

situation d'énonciation : on la décrit en identifiant : les personnes qui parlent, les propos échangés, le lieu et le temps où se tiennent ces personnes.

À VOS PLUMES !

19. Imaginez un dialogue de théâtre entre Géronte et son fils qui commencerait ainsi :
GÉRONTE – *Tu n'épouseras pas cette Égyptienne, cette malavisée, cette impertinente venue dire des injures à un homme d'honneur comme moi…*
Vous écrirez également les didascalies*.

didascalies : indications de mise en scène données par l'auteur.

légende : texte accompagnant une figure, un dessin, une photo.

MISE EN SCÈNE

20. Avec un camarade, vous retravaillerez vos dialogues de façon à n'en faire qu'un. Vous pourrez ensuite jouer ce dialogue.

LIRE L'IMAGE

21. Sur les photos des pages 100 et 101, quelle expression les visages de Zerbinette et de Géronte reflètent-ils ?

22. Quelle phrase du texte pourrait servir de légende* à chacune de ces photos ?

Scène 4

SYLVESTRE, ZERBINETTE

SYLVESTRE – Où est-ce donc que vous vous échappez ? Savez-vous bien que vous venez de parler là au père de votre amant ?

ZERBINETTE – Je viens de m'en douter et je me suis adressée 5 à lui-même sans y penser, pour lui conter son histoire.

SYLVESTRE – Comment, son histoire ?

ZERBINETTE – Oui, j'étais toute remplie du conte[1], et je brûlais de le redire. Mais qu'importe ? Tant pis pour lui. Je ne vois pas que les choses pour nous en puissent être ni pis ni 10 mieux.

SYLVESTRE – Vous aviez grande envie de babiller ; et c'est avoir bien de la langue que de ne pouvoir se taire de ses propres affaires.

ZERBINETTE – N'aurait-il pas appris cela de quelque autre ?

Scène 5

ARGANTE, SYLVESTRE

ARGANTE – Holà ! Sylvestre.

SYLVESTRE, *à Zerbinette* – Rentrez dans la maison. Voilà mon maître qui m'appelle.

ARGANTE – Vous vous êtes donc accordés, coquin ; vous vous 5 êtes accordés, Scapin, vous et mon fils, pour me fourber[2], et vous croyez que je l'endure[3] ?

notes

1. conte : histoire, récit.

2. fourber : duper, tromper.

3. que je l'endure : que je puisse l'endurer.

SYLVESTRE – Ma foi, monsieur, si Scapin vous fourbe, je m'en lave les mains, et vous assure que je n'y trempe[1] en aucune façon.

10 ARGANTE – Nous verrons cette affaire, pendard, nous verrons cette affaire, et je ne prétends pas qu'on me fasse passer la plume par le bec[2].

Scène 6

GÉRONTE, ARGANTE, SYLVESTRE

GÉRONTE – Ah ! seigneur Argante, vous me voyez accablé de disgrâce[3].

ARGANTE – Vous me voyez aussi dans un accablement horrible.

5 GÉRONTE – Le pendard de Scapin, par une fourberie, m'a attrapé cinq cents écus.

ARGANTE – Le même pendard de Scapin, par une fourberie aussi, m'a attrapé deux cents pistoles.

GÉRONTE – Il ne s'est pas contenté de m'attraper cinq cents
10 écus, il m'a traité d'une manière que j'ai honte de dire. Mais il me la payera.

ARGANTE – Je veux qu'il me fasse raison de la pièce[4] qu'il m'a jouée.

GÉRONTE – Et je prétends faire de lui une vengeance exem-
15 plaire.

notes

1. je n'y trempe : je n'y suis mêlé.

2. passer la plume par le bec : allusion à un usage qui consistait à passer une plume à travers les narines des oies pour les empêcher de s'éloigner. Argante affirme ici qu'on ne l'empêchera pas d'agir à sa guise.

3. disgrâce : malheur.

4. je veux qu'il me fasse raison de la pièce : je veux qu'il me donne réparation du tour qu'il m'a joué.

SYLVESTRE, *à part* – Plaise au Ciel que dans tout ceci je n'aie point ma part !

GÉRONTE – Mais ce n'est pas encore tout, seigneur Argante, et un malheur nous est toujours l'avant-coureur d'un
20 autre. Je me réjouissais aujourd'hui de l'espérance d'avoir ma fille, dont je faisais toute ma consolation ; et je viens d'apprendre de mon homme qu'elle est partie, il y a longtemps, de Tarente, et qu'on y croit qu'elle a péri dans le vaisseau où elle s'embarqua.

25 ARGANTE – Mais pourquoi, s'il vous plaît, la tenir à Tarente, et ne vous être pas donné la joie de l'avoir avec vous ?

GÉRONTE – J'ai eu mes raisons pour cela ; et des intérêts de famille m'ont obligé jusques ici à tenir fort secret ce second mariage. Mais que vois-je ?

Scène 7

NÉRINE, ARGANTE, GÉRONTE, SYLVESTRE

GÉRONTE – Ah ! te voilà, nourrice ?

NÉRINE, *se jetant à ses genoux* – Ah ! seigneur Pandolphe, que...

GÉRONTE – Appelle-moi Géronte, et ne te sers plus de ce
5 nom. Les raisons ont cessé, qui m'avaient obligé à le prendre parmi vous à Tarente.

NÉRINE – Las ! que ce changement de nom nous a causé de troubles et d'inquiétudes dans les soins que nous avons pris de vous venir chercher ici !

10 GÉRONTE – Où est ma fille, et sa mère ?

NÉRINE – Votre fille, monsieur, n'est pas loin d'ici. Mais avant que de vous la faire voir, il faut que je vous demande pardon de l'avoir mariée, dans l'abandonnement[1] où, faute de vous rencontrer, je me suis trouvée avec elle.

15 GÉRONTE – Ma fille mariée !

NÉRINE – Oui, monsieur.

GÉRONTE – Et avec qui ?

NÉRINE – Avec un jeune homme nommé Octave, fils d'un certain seigneur Argante.

20 GÉRONTE – Ô Ciel !

ARGANTE – Quelle rencontre !

GÉRONTE – Mène-nous, mène-nous promptement où elle est.

NÉRINE – Vous n'avez qu'à entrer dans ce logis.

GÉRONTE – Passe devant. Suivez-moi, suivez-moi, seigneur
25 Argante.

SYLVESTRE – Voilà une aventure qui est tout à fait surprenante !

Scène 8

SCAPIN, SYLVESTRE

SCAPIN – Hé bien ! Sylvestre, que font nos gens ?

SYLVESTRE – J'ai deux avis à te donner. L'un, que l'affaire d'Octave est accommodée[2]. Notre Hyacinte s'est trouvée la fille du seigneur Géronte ; et le hasard a fait ce que la
5 prudence[3] des pères avait délibéré[4]. L'autre avis, c'est que les deux vieillards font contre toi des menaces épouvantables, et surtout le seigneur Géronte.

notes

1. *abandonnement* : abandon, solitude.

2. *accommodée* : arrangée.

3. *prudence* : sagesse, prévoyance.

4. *délibéré* : décidé.

SCAPIN – Cela n'est rien. Les menaces ne m'ont jamais fait mal ; et ce sont des nuées qui passent bien loin sur nos
10 têtes.

SYLVESTRE – Prends garde à toi : les fils se pourraient bien raccommoder avec les pères, et toi demeurer dans la nasse[1].

SCAPIN – Laisse-moi faire, je trouverai moyen d'apaiser leur courroux[2], et...

15 SYLVESTRE – Retire-toi, les voilà qui sortent.

Scène 9

GÉRONTE, ARGANTE, SYLVESTRE, NÉRINE, HYACINTE

GÉRONTE – Allons, ma fille, venez chez moi. Ma joie aurait été parfaite, si j'y avais pu voir votre mère avec vous.

ARGANTE – Voici Octave, tout à propos.

Scène 10

OCTAVE, ARGANTE, GÉRONTE, HYACINTE, NÉRINE, ZERBINETTE, SYLVESTRE

ARGANTE – Venez, mon fils, venez vous réjouir avec nous de l'heureuse aventure de votre mariage. Le Ciel...

OCTAVE, *sans voir Hyacinte* – Non, mon père, toutes vos propositions de mariage ne serviront de rien. Je dois lever le
5 masque avec vous, et l'on vous a dit mon engagement.

notes

1. *nasse :* piège à poissons que l'on pose au fond de l'eau. Le mot est employé ici dans son sens figuré : situation embarrassante, mauvais pas.

2. *courroux :* colère.

ARGANTE – Oui ; mais tu ne sais pas...

OCTAVE – Je sais tout ce qu'il faut savoir.

ARGANTE – Je veux te dire que la fille du seigneur Géronte...

OCTAVE – La fille du seigneur Géronte ne me sera jamais de
10 rien.

GÉRONTE – C'est elle...

OCTAVE, *à Géronte* – Non, monsieur ; je vous demande pardon, mes résolutions sont prises.

SYLVESTRE, *à Octave* – Écoutez...

15 OCTAVE – Non, tais-toi, je n'écoute rien.

ARGANTE, *à Octave* – Ta femme...

Octave – Non, vous dis-je, mon père, je mourrai plutôt que de quitter mon aimable Hyacinte. *(Traversant le théâtre pour aller à elle.)* Oui, vous avez beau faire, la voilà, celle à qui ma
20 foi est engagée ; je l'aimerai toute ma vie, et je ne veux point d'autre femme...

ARGANTE – Hé bien ! c'est elle qu'on te donne. Quel diable d'étourdi, qui suit toujours sa pointe[1] !

HYACINTE, *montrant Géronte* – Oui, Octave, voilà mon père
25 que j'ai trouvé, et nous nous voyons hors de peine.

GÉRONTE – Allons chez moi, nous serons mieux qu'ici pour nous entretenir.

HYACINTE, *montrant Zerbinette* – Ah ! mon père, je vous demande par grâce que je ne sois point séparée de l'aimable
30 personne que vous voyez : elle a un mérite qui vous fera concevoir de l'estime pour elle quand il sera connu de vous.

GÉRONTE – Tu veux que je tienne chez moi une personne

notes

1. sa pointe : son idée.

qui est aimée de ton frère, et qui m'a dit tantôt au nez mille sottises de moi-même ?

35 ZERBINETTE – Monsieur, je vous prie de m'excuser. Je n'aurais pas parlé de la sorte, si j'avais su que c'était vous, et je ne vous connaissais que de réputation.

GÉRONTE – Comment, que de réputation ?

HYACINTE – Mon père, la passion que mon frère a pour elle
40 n'a rien de criminel, et je réponds de sa vertu.

GÉRONTE – Voilà qui est fort bien. Ne voudrait-on point que je mariasse mon fils avec elle ? Une fille inconnue, qui fait le métier de coureuse[1] !

Scène 11

LÉANDRE, OCTAVE, HYACINTE, ZERBINETTE, ARGANTE, GÉRONTE, SYLVESTRE, NÉRINE

LÉANDRE – Mon père, ne vous plaignez point que j'aime une inconnue sans naissance et sans bien. Ceux de qui je l'ai rachetée viennent de me découvrir qu'elle est de cette ville, et d'honnête famille ; que ce sont eux qui l'y ont
5 dérobée à l'âge de quatre ans ; et voici un bracelet, qu'ils m'ont donné, qui pourra nous aider à trouver ses parents.

ARGANTE – Hélas ! à voir ce bracelet, c'est ma fille que je perdis à l'âge que vous dites.

GÉRONTE – Votre fille ?

10 ARGANTE – Oui, ce l'est, et j'y vois tous les traits[2] qui m'en peuvent rendre assuré.

HYACINTE – Ô Ciel ! que d'aventures extraordinaires !

notes

1. *coureuse* : séductrice. **2. *traits* :** caractéristiques.

Au fil du texte

Questions sur l'acte III, scène 11 (page 111)

QUE S'EST-IL PASSÉ ENTRE-TEMPS ?

1. Racontez les faits qui se sont déroulés de la scène 4 à la scène 11 en respectant l'ordre chronologique.

2. Dans quelles scènes découvre-t-on l'identité véritable de Hyacinte et de Zerbinette ?

3. Retrouvez le passage dans lequel Argante évoquait la fille que *« le Ciel* [lui] *a ôtée ».*

AVEZ-VOUS BIEN LU ?

4. Complétez le texte ci-dessous en vous aidant de la liste de mots suivante.
reconnaître – Égyptiens – volée – aventurière – enfant – honorables

Mon père, dit Léandre, ne vous plaignez point que j'aime une ……………………, car Zerbinette est née dans cette ville et ses parents sont des gens ……………… auxquels des ………………… l'avaient ……………………, quand elle était tout …………………… . Voici un bracelet qui permettra à ses parents de la …………… .

5. Entourez l'information qui reprend celle du texte. Le bracelet est un

a) bijou.
b) objet précieux.
c) signe de reconnaissance.
d) signe de richesse.
e) signe de haute naissance.

Étudier le vocabulaire

6. Choisissez les deux expressions dont le sens se rapproche le plus de celle de Hyacinte :
« que d'aventures extraordinaires ! » (l. 12)
a) Quel bonheur !
b) Quel conte de fées !
c) Que de hasards incroyables !
d) Que d'aventures fantastiques !
e) Que de coïncidences étonnantes !
f) Que d'épisodes romanesques !

didascalies : indications de mise en scène données par l'auteur.

À vos plumes !

7. Vous êtes metteur en scène et vous décrivez à l'accessoiriste le bracelet dont vous avez besoin pour cette scène.

Mise en scène

8. Précisez par des didascalies* comment les personnages de cette scène doivent jouer leur rôle.

9. Vous monterez ensuite cette scène avec quelques camarades.

Scène 12

CARLE, LÉANDRE, OCTAVE, GÉRONTE, ARGANTE, HYACINTE, ZERBINETTE, SYLVESTRE, NÉRINE

CARLE – Ah ! messieurs, il vient d'arriver un accident étrange.

GÉRONTE – Quoi ?

CARLE – Le pauvre Scapin...

GÉRONTE – C'est un coquin que je veux pendre.

5 CARLE – Hélas ! monsieur, vous ne serez pas en peine de cela[1]. En passant contre un bâtiment, il lui est tombé sur la tête un marteau de tailleur de pierre qui lui a brisé l'os et découvert toute la cervelle. Il se meurt, et il a prié qu'on l'apportât ici pour vous pouvoir parler avant que 10 de mourir.

ARGANTE – Où est-il ?

CARLE – Le voilà.

Scène 13

SCAPIN, CARLE, GÉRONTE, ARGANTE, ETC.

SCAPIN, *apporté par deux hommes, et la tête entourée de linges, comme s'il avait été bien blessé* – Ahi, ahi, messieurs, vous me voyez... Ahi, vous me voyez dans un étrange état. Ahi ! Je n'ai pas voulu mourir sans venir demander pardon à toutes 5 les personnes que je puis avoir offensées. Ahi ! Oui, mes-

notes

1. vous ne serez pas en peine de cela : vous n'aurez pas ce souci-là.

sieurs, avant de rendre le dernier soupir, je vous conjure de tout mon cœur de vouloir me pardonner tout ce que je puis vous avoir fait, et principalement le seigneur Argante et le seigneur Géronte. Ahi !

10 ARGANTE – Pour moi, je te pardonne ; va, meurs en repos.

SCAPIN, *à Géronte* – C'est vous, monsieur, que j'ai le plus offensé, par les coups de bâton que...

GÉRONTE – Ne parle pas davantage, je te pardonne aussi.

SCAPIN – Ç'a été une témérité[1] bien grande à moi, que les
15 coups de bâton que je...

GÉRONTE – Laissons cela.

SCAPIN – J'ai, en mourant, une douleur inconcevable des coups de bâton que...

GÉRONTE – Mon Dieu ! tais-toi.

20 SCAPIN – Les malheureux coups de bâton que je vous...

GÉRONTE – Tais-toi, te dis-je, j'oublie tout.

SCAPIN – Hélas ! quelle bonté ! Mais est-ce de bon cœur, monsieur, que vous me pardonnez ces coups de bâton que...

25 GÉRONTE – Eh ! oui. Ne parlons plus de rien ; je te pardonne tout, voilà qui est fait.

SCAPIN – Ah ! monsieur, je me sens tout soulagé depuis cette parole.

GÉRONTE – Oui ; mais je te pardonne à la charge que tu
30 mourras.

SCAPIN – Comment, monsieur ?

GÉRONTE – Je me dédis de ma parole, si tu réchappes.

notes

1. *témérité* : audace irréfléchie.

SCAPIN – Ahi, ahi ! Voilà mes faiblesses qui me reprennent.

ARGANTE – Seigneur Géronte, en faveur de notre joie, il faut
35 lui pardonner sans condition.

GÉRONTE – Soit.

ARGANTE – Allons souper ensemble pour mieux goûter notre plaisir.

SCAPIN – Et moi, qu'on me porte au bout de la table, en
40 attendant que je meure.

Daniel Auteuil (Scapin) dans une mise en scène de Jean-Pierre Vincent en Avignon (1990).

Au fil du texte

Questions sur l'acte III, scène 13 (pages 114 à 116)

Que s'est-il passé entre-temps ?

1. Si vous deviez donner un titre aux scènes 12 et 13 réunies, quel titre choisiriez-vous ?

Avez-vous bien lu ?

2. Devinette
Plus Scapin en parle et plus Géronte voudrait qu'il n'en parle pas. Géronte les lui pardonne si Scapin meurt, et Scapin ressuscite si Géronte les lui pardonne.
Qui sont-ils ?

Étudier le vocabulaire et la grammaire

3. Que veut dire Scapin lorsqu'il dit : « *Et moi, qu'on me porte au bout de la table, en attendant que je meure* » (l. 39-40) ?

4. À quel temps et à quel mode est le verbe « *mourir* » dans cette phrase ?

Étudier l'écriture

5. Quel est le signe de ponctuation qui revient dès que Scapin parle des « *coups de bâton* » ?

6. Que signifie ici ce signe de ponctuation ?

Étudier le comique

7. Pourquoi l'acharnement de Scapin à évoquer les coups de bâton donnés à Géronte est-il comique ?

8. Pourquoi la dernière réplique de Scapin est-elle comique (l. 39-40) ?

9. En quoi confirme-t-elle ce que nous avons appris sur Scapin durant la pièce ?

ÉTUDIER LA PLACE ET LA FONCTION DE L'EXTRAIT

10. Comment s'appelle cette scène, la dernière de la pièce ? Entourez la bonne réponse.
a) une scène d'action
b) une scène de dénouement
c) une scène d'exposition

11. À quoi assiste-t-on dans cette scène ? Choisissez la ou les bonnes réponses.
a) à la joie de tous les personnages rassemblés
b) à la dernière fourberie de Scapin
c) au pardon que Géronte finit par accorder à Scapin
d) au triomphe de Scapin

12. Qui cette scène achève-t-elle de constituer en personnage principal de la pièce ?

MISE EN SCÈNE

13. Si vous étiez metteur en scène, comment voudriez-vous que le personnage de Scapin soit interprété ? Quelles caractéristiques physiques, quel âge, quelle voix devrait-il avoir ? Doit-il avoir un visage expressif ? Dans quel costume le voyez-vous ? Comment doit-il se déplacer sur scène ? Comment se présente-t-il devant Argante et Géronte : avec assurance ? insolence ? respect ?

Retour sur l'œuvre

1. Cherchez le mot « *fourberie* » dans un dictionnaire et composez une fiche de vocabulaire comportant les rubriques suivantes :

a) nature et genre de ce mot

b) signification donnée par le dictionnaire

c) origine du mot

d) mots de la même famille

e) synonymes

f) sens du mot dans le texte

2. Quels sont les liens entre les personnages ?

	VRAI	FAUX
a) Octave et Léandre sont frères.	☐	☐
b) Scapin est le valet d'Octave.	☐	☐
c) Hyacinte et Léandre sont frère et sœur.	☐	☐
d) Sylvestre et Scapin sont frères.	☐	☐
e) Géronte et Argante sont amis.	☐	☐
f) Hyacinte est la belle-fille d'Argante.	☐	☐
g) Octave est le gendre de Géronte.	☐	☐
h) Nérine est la femme de Pandolphe.	☐	☐

3. Vérifiez que rien ne vous a échappé en complétant les phrases suivantes.

a) La pièce se passe à ....

b) Géronte et Argante reviennent de ....

c) Pour racheter Zerbinette, Léandre a besoin de ....
....

d) Géronte attend l'arrivée de ....

e) Géronte et Argante ont décidé qu'Octave épouserait
....

f) Pour faire casser le mariage d'Octave et Hyacinte, Argante a l'intention de ....

g) Tout est bien qui finit bien, car ....

4. Vérifiez que rien ne vous a échappé en répondant aux questions suivantes.

a) Qui menace qui de l'envoyer en prison ?

....

b) Qui reçoit des coups de bâton ?

....

c) Pourquoi Scapin veut-il se venger de Géronte ?

....

d) Zerbinette et Hyacinte se connaissent-elles ?

....

e) Sylvestre est-il prêt à suivre Scapin en toute circonstance ?

....

f) Qu'est-ce que Zerbinette raconte à Géronte ?

....

g) Qui avait perdu une petite fille de quatre ans ?

....

5. Trouvez à quoi ou à qui fait référence le mot ou le groupe de mots souligné dans les phrases suivantes.

a) « SCAPIN – J'ai bien ouï parler de <u>quelque petite chose</u>.

ARGANTE – Comment, quelque petite chose ! Une action de cette nature ! » (I, 4)

....

b) « SCAPIN – Laisse-moi faire, <u>la machine</u> est trouvée. Je cherche seulement dans ma tête un homme qui nous soit affidé, pour jouer un personnage dont j'ai besoin. » (I, 5)

....

c) « SCAPIN – Monsieur, un petit mulet.
ARGANTE – Je ne lui donnerai pas seulement un âne. » (II, 5)

……………………………………

d) « GÉRONTE – Que diable allait-il faire dans cette galère ? » (II, 7)

……………………………………

e) « GÉRONTE – L'invention est bonne.
SCAPIN – La meilleure du monde. Vous allez voir. *(À part.)* Tu me paieras l'imposture. » (III, 2)

……………………………………

f) « ARGANTE – Je veux te dire que la fille du seigneur Géronte...
OCTAVE – La fille du seigneur Géronte ne me sera jamais rien. » (III, 10)

……………………………………

g) « ARGANTE – Seigneur Géronte, en faveur de notre joie, il faut lui pardonner sans condition. » (III, 13)

……………………………………

6. Qui est qui ? Reliez le personnage à sa caractérisation.

Scapin • • *« avare au dernier degré »*
Sylvestre • • *« méchant »*
Géronte • • *« aimable »*
Argante • • *« habile ouvrier de ressorts et d'intrigues »*
Hyacinte • • *« bien résolu »*
Zerbinette • • d'*« une timidité naturelle »*
Octave • • *« grand et gros comme père et mère »*
Léandre • • d'*« humeur enjouée »*

7. À votre tour, préparez pour un camarade (ou pour la classe) le même exercice, en cherchant dans le texte d'autres caractérisations attribuables à chacun des personnages.

8. À qui faut-il remettre chacun des accessoires de la liste ci-dessous ?
un bâton – un bracelet – une clef – un costume de spadassin – une épée – un sac – une bourse contenant de l'argent – des linges pour faire des bandages – un bonnet.

9. Complétez le résumé à l'aide des mots de la liste ci-dessous.
une orpheline – une dernière fourberie – en l'absence de leurs pères – différentes ruses – dénouement – une Égyptienne – la progression de la pièce – son compère – un ingénieux valet – une comédie – la fille de Géronte.

.................., Octave a épousé .... dont il est tombé amoureux, tandis que son ami Léandre s'est épris d'.................. . Mais les pères sont de retour et celui d'Octave destine .... à son fils. Pour échapper à l'autorité paternelle et sauver leur amour, les jeunes gens font appel à ...., Scapin. Celui-ci, aidé de .... Sylvestre, forge ....dont l'exécution assure .... jusqu'à son heureux ...., comme il se doit dans .... : les amants ne sont pas séparés et Scapin triomphe avec ....

Dossier
Bibliocollège

Schéma dramatique

ACTE I	**Début de la 1re fourberie de Scapin** Bénéficiaire : Octave Victime : Argante Résultat : demi-succès de Scapin
ACTE II	**Fin de la 1re fourberie de Scapin** Bénéficiaire : Octave Victime : Argante Résultat : succès de Scapin **2e fourberie de Scapin** Bénéficiaire : Léandre Victime : Géronte Résultat : succès de Scapin
ACTE III	**3e fourberie de Scapin** Bénéficiaire : Scapin Victimes : Géronte et Scapin Résultat : échec de Scapin **4e fourberie de Scapin** Bénéficiaire : Scapin Victimes : Argante et Géronte Résultat : triomphe de Scapin

Il était une fois Molière

La naissance d'une vocation

Ce 15 janvier 1622, à Paris, le marchand tapissier du roi, Jean Poquelin, se presse, en compagnie de sa famille, vers l'église Saint-Eustache. Il va y faire baptiser son premier-né, Jean-Baptiste. L'avenir de ce petit garçon est tout tracé : il prendra la suite de son père et sera tapissier du roi, ou bien exercera une profession juridique.
En attendant, il est inscrit au collège de Clermont (l'actuel Louis-le-Grand) et découvre le théâtre.
Regardez ! Le voici place Dauphine ou un peu plus loin sur le Pont-Neuf, riant et applaudissant aux plaisanteries et coups de bâton d'acteurs passés maîtres dans l'art du comique et de la farce. Le voilà dans la salle de l'Hôtel de Bourgogne, en compagnie de son grand-père, passionné de théâtre lui aussi. Là, le répertoire est varié : farces, comédies italiennes, mais aussi tragédies.
Jean-Baptiste a maintenant vingt et un ans. Il est allé à Orléans passer, ou plutôt, selon les pratiques de l'époque, acheter sa licence de droit. Il se serait montré un bon fils, bien obéissant, en devenant avocat, si son amour du théâtre ne l'avait emporté. Avec la comédienne Madeleine Béjart, à laquelle il s'est lié, il fonde la troupe de l'Illustre-Théâtre, prend le nom de Molière et rompt avec sa famille et son milieu social.

Dates clés

15 janvier 1622 : naissance de Jean-Baptiste Poquelin.

30 juin 1643 : fondation de l'Illustre-Théâtre.

Aventures et mésaventures de l'Illustre-Théâtre

Pendant deux ans l'Illustre-Théâtre se produit à Paris. Mais le succès tarde à venir. La troupe fait faillite et

Molière se retrouve en prison pour dettes.
À sa sortie, Molière ne se décourage pas. Il n'a pas réussi à Paris ? Qu'à cela ne tienne ! Lui et la troupe iront tenter leur chance en province. Ils seront, comme tant d'autres, des comédiens itinérants. Pendant treize ans, ils sillonnent les routes du Sud-Ouest, du Languedoc et de la vallée du Rhône, jouent des tragédies d'auteurs contemporains, mais aussi de courtes comédies que Molière compose lui-même. Son talent commence à être reconnu : le duc d'Épernon, gouverneur de Guyenne, puis le prince de Conti, gouverneur du Languedoc, lui accordent leur protection. Molière envisage alors de rentrer à Paris.

Dates clés

1645 : Molière part avec sa troupe en province.

1658 : à Paris, le roi lui octroie la salle du Petit-Bourbon.

1661 : Molière s'installe au théâtre du Palais-Royal.

1661-1673 : période d'intense activité et de grand succès.

Le temps du succès

En octobre 1658, Molière est de retour sur la scène parisienne. Il obtient pour sa troupe la protection de Monsieur, frère du roi. Mieux, Molière va jouer devant le roi et la cour. Au programme : une tragédie de Corneille. Le roi bâille ! C'est alors que Molière a l'idée de jouer une farce de sa composition, *Le Docteur amoureux*. Le roi rit ! Conquis par le talent de farceur de Molière, Louis XIV lui accorde la salle du Petit-Bourbon. Molière la partage avec la troupe des comédiens italiens qui y était déjà installée. Deux ans plus tard, il déménage au Palais-Royal. Molière vole de succès en succès. Sa troupe devient la Troupe du roi.
L'activité de Molière est considérable. Il écrit les pièces, les met en scène, joue le rôle principal. Par ailleurs, c'est encore lui qui gère les problèmes matériels : financement et organisation. Il monte les spectacles – des comédies-ballets – dont Louis XIV agrémente les

fêtes qu'il donne à Versailles. Mais il ne cesse pas pour autant de se produire à Paris. Dans ses comédies, Molière se moque des défauts majeurs de ses contemporains. Ces railleries tout autant que son succès lui attirent de nombreux ennemis.
Le 17 février 1673, Molière donne la quatrième représentation du *Malade imaginaire*, pièce dans laquelle il tourne en ridicule l'ignorance des médecins de l'époque. Pris de malaise, il est transporté chez lui, où il meurt presque aussitôt. N'ayant pas renié sa vie de comédien devant un prêtre, il ne peut recevoir de funérailles religieuses.
Il faut que le roi intervienne auprès des autorités religieuses pour que Molière puisse être enterré au cimetière Saint-Joseph ; celles-ci finissent par accepter, à condition que ce soit de nuit et sans messe.

Dates clés

17 février 1673 : pris de malaise sur scène, il meurt peu après.

Être un homme de théâtre au XVIIe siècle

Être acteur au XVIIe siècle

C'est d'abord mener une existence difficile. En effet, les acteurs, pour la plupart, gagnent peu d'argent et, même si la célébrité leur permet d'échapper à la pauvreté, ils se heurtent à la méfiance de la société, qui voit en eux des gens de mauvaise vie. Par ailleurs, ils sont condamnés par l'Église dont l'influence et le pouvoir sont très grands. Ainsi, les acteurs ne peuvent recevoir les derniers sacrements et être enterrés religieusement qu'après avoir renié leur passé d'acteur.

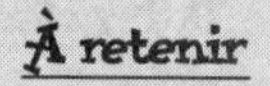

Les acteurs : ils sont condamnés par l'Église. Ils appartiennent à une troupe.

C'est ensuite vivre en groupe. Au XVIIe siècle, un comédien appartient à une troupe constituée d'autres acteurs et d'un chef. Les uns et les autres sont liés entre eux par un contrat qui est passé entre la troupe et tout nouvel arrivant. Ce contrat est renouvelable tous les ans. En général, il fixe la part de la recette à laquelle l'acteur aura droit, précise les rôles pour lesquels il est engagé et mentionne les costumes qu'apporte l'acteur à son entrée. En effet, les costumes constituent un élément important de la richesse d'une troupe, et faire don de costumes est, pour un noble, une manière d'aider la troupe à laquelle il accorde sa protection.

Les troupes de théâtre

• Les troupes itinérantes

La majorité des troupes de comédiens sont des troupes itinérantes, c'est-à-dire qu'elles se déplacent à travers tout le royaume et parfois même hors de ses frontières. En ce sens, la troupe de Molière, l'Illustre-Théâtre, n'est qu'une troupe parmi toutes celles qui sillonnent les routes avec leur chariot contenant tout ce qu'elles possèdent et qui s'arrêtent, pour un ou quelques jours, dans les villes où elles jouent. Soit la ville met une salle à la disposition de la troupe, soit elle refuse, et la troupe installe alors les tréteaux de sa scène en plein air. Dans la journée, un des acteurs s'est transformé en « héraut » pour annoncer qu'il y aurait le soir « un grand spectacle exceptionnel ». Mais le public n'est pas très nombreux, surtout lorsqu'une autre troupe est passée peu de temps auparavant ou que les impôts ont été lourds. Aussi ces troupes cherchent-elles à se mettre sous la protection d'un riche seigneur pour le compte duquel elles jouent, tandis qu'en échange celui-ci leur assure une vie moins précaire. C'est ainsi que l'Illustre-Théâtre fut tour à tour la troupe du gouverneur de Guyenne, celle du gouverneur du Languedoc, et enfin celle du gouverneur de Normandie jusqu'à son retour à Paris.

À retenir

La troupe : elle est formée de son directeur et de ses acteurs. Elle est le plus souvent itinérante. Elle a besoin de la protection d'un grand du royaume.

• Les troupes sédentaires

Dans les grandes villes et à Paris, quelques troupes sont sédentaires, jouant toujours dans la même salle, dont elles sont locataires. À Paris, il existe deux grandes troupes, celle du Théâtre du Marais et celle de l'Hôtel de Bourgogne, sans compter les comédiens italiens que Catherine et Marie de Médicis ont fait venir et qui sont installés dans la salle du Petit-Bourbon. Lorsque la troupe de Molière devient la Troupe du roi, elle obtient sa propre salle : la salle du Palais-Royal. Toutes ces troupes sont rivales et essaient de se prendre leurs bons acteurs. Elles ont aussi leur auteur favori : Corneille pour

la troupe du théâtre du Marais, Racine pour celle de l'Hôtel de Bourgogne. Molière, lui, monte des pièces de différents auteurs, mais également toutes celles qu'il écrit lui-même et dans lesquelles il se réserve le rôle principal. C'est lui qui interprète le rôle de Scapin, par exemple.
En ce sens, la carrière théâtrale de Molière est, dans un premier temps, tout à fait ordinaire. Elle devient unique à partir du moment où Louis XIV le soutient, non seulement en lui donnant les moyens de jouer à Paris (octroi d'une salle, don de costumes, pension), mais encore en le chargeant des divertissements de la cour à Versailles. Enfin, elle est exceptionnelle parce que Molière est tout à la fois directeur de troupe, acteur, metteur en scène et auteur de son répertoire.

Les Fourberies de Scapin, une comédie

Qu'est-ce qu'une comédie ?

Une comédie est une pièce qui réunit quatre caractéristiques :
1) l'histoire, tirée des fabliaux du Moyen Âge ou de la comédie latine, ne sort pas du cadre de la vie ordinaire et familiale ;
2) les personnages ne sont ni des princes ni des rois, mais des bourgeois ;
3) elle se termine bien, le plus souvent par un mariage ;
4) elle fait rire.
Ainsi, une *comédie* s'oppose à une *tragédie*.
Une tragédie, en effet, emprunte le sujet de son histoire à la mythologie antique, met en scène des héros, princes ou rois, se termine par leur mort et, loin de faire rire le public, le bouleverse.

À retenir

Les quatre caractéristiques de la comédie :
– l'histoire s'inscrit dans la vie ordinaire,
– les personnages sont des bourgeois,
– elle finit bien,
– elle fait rire.

Les Fourberies de Scapin, une comédie d'intrigues

Les Fourberies de Scapin rassemblent les quatre critères de la comédie. En l'écrivant, Molière s'est souvenu d'une pièce de Térence, auteur comique latin du IIe siècle avant J.-C. Les seigneurs Géronte et Argante sont des bourgeois de Naples. Et l'histoire ne sort pas de la sphère de la famille : deux jeunes gens chargent l'un de leurs valets, particulièrement astucieux, de soutirer à leurs pères l'argent dont ils ont besoin pour leurs amours. Les fourberies inventées par Scapin constituent autant de rebondissements et de péripéties, au cours desquels les fils de l'intrigue se nouent et se dénouent. En ce sens, *Les Fourberies de Scapin* sont ce qu'on appelle une *comédie d'intrigues*.

La double influence de la farce et de la commedia dell'arte

• La farce

Au Moyen Âge, les spectacles sérieux, fort longs, sont entrecoupés, « farcis », de pièces comiques très courtes, les « farces », destinées à permettre au public de se détendre. L'action en est très simple et ne nécessite pas de décor : elle représente un mauvais tour joué à une dupe, et les personnages échangent quantité de coups de bâton. Au XVIIe siècle, on continue à jouer des farces. Le public en raffole. Les représentations ont lieu chez de riches particuliers, dans des salles de théâtre et surtout dans la rue, sur les places, dans les foires : partout où il est possible de dresser les tréteaux sur lesquels évoluent les acteurs. Certains de ces acteurs, comme Tabarin, Gros-Guillaume, Gaultier-Gargouille, sont très célèbres et Molière les connaît bien. Plusieurs scènes des *Fourberies de Scapin*, notamment la scène 1 de l'acte III, s'apparentent au genre de la farce.

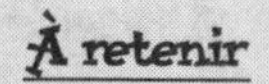

Le valet en vedette : le rôle attribué au valet Scapin fait des *Fourberies* une comédie d'intrigues.

Les influences : la farce médiévale et la comédie italienne ou *commedia dell'arte.*

• La *commedia dell'arte*

Le séjour au théâtre du Petit-Bourbon a été pour Molière l'occasion d'observer le jeu des acteurs italiens : les comédiens *dell'arte* (acteurs de métier). À la différence des acteurs français, les Italiens n'apprennent pas par cœur le texte de la pièce, mais l'improvisent. Toutefois,

Acteur de la comédie italienne. Gravure de Jacques Callot.

cette improvisation est soumise à des règles très précises et le schéma de l'intrigue est donné aux acteurs qui doivent impérativement le respecter. Le jeu est conduit sur un rythme endiablé qui fait une large part aux mouvements, aux déguisements et aux mimiques de toute espèce. Par ailleurs, la comédie italienne est constituée d'une série de personnages stéréotypés. Il y a les vieillards grincheux et avares, les jeunes premiers et jeunes premières peu dégourdis, les soubrettes, les valets : le balourd, le rusé, le poltron, etc., facilement reconnaissables grâce à leur masque et à leur costume qui ne varient pas. Les acteurs jouent toute leur vie le même rôle. Les personnages des *Fourberies de Scapin* doivent beaucoup à ceux de la *commedia dell'arte*. De même, le rythme de la pièce de Molière, l'utilisation du déguisement, le rôle-vedette attribué au valet sont autant d'éléments qui rattachent *Les Fourberies de Scapin* à la *commedia dell'arte*.

La foire Saint-Germain avec ses tréteaux sur lesquels évoluaient les acteurs.

Groupement de textes :

Les valets déguisés dans cinq comédies de Molière

Le déguisement est un élément fondamental du théâtre : pour interpréter leur rôle, les comédiens doivent nécessairement commencer par se déguiser, se travestir. En outre, le déguisement caractérise la comédie, par opposition à la tragédie. Dans une comédie, un personnage doit souvent, s'il veut parvenir à ses fins, en tromper un autre. Quoi de plus aisé et de plus amusant, quand il suffit, pour cela, de se déguiser et de se faire passer pour un autre ! Comme le montrent les extraits suivants, ce sont généralement les valets qui, pour aider les maîtres, se déguisent et mènent à bien une telle « fourberie ».

LE MÉDECIN VOLANT

Cette comédie en seize scènes a été représentée pour la première fois au Louvre le 18 avril 1659.
Gorgibus a décidé de donner sa fille Lucile en mariage à un vieillard. Mais celle-ci aime Valère qui le lui rend. Pour empêcher son père de réaliser son projet, Lucile fait semblant d'être malade, tandis que Valère demande à son valet Sganarelle de se déguiser en médecin.

SCÈNE 9. VALÈRE.

Je ne sais ce qu'aura fait Sganarelle : je n'ai point eu de ses nouvelles, et je suis fort en peine où je le pourrais rencontrer. *(Sganarelle revient en habit de valet.)* Mais bon, le voici. Hé bien ! Sganarelle, qu'as-tu fait depuis que je ne t'ai point vu ?

SCÈNE 10. SGANARELLE, VALÈRE

SGANARELLE – Merveille sur merveille : j'ai si bien fait que Gorgibus me prend pour un habile médecin. Je me suis introduit chez lui, et lui ai conseillé de faire prendre l'air à sa fille, laquelle est à présent dans un appartement qui est au bout de leur jardin, tellement qu'elle est fort éloignée du vieillard, et que vous pouvez l'aller voir commodément.

VALÈRE – Ah ! que tu me donnes de joie ! Sans perdre de temps, je la vais trouver de ce pas.

SGANARELLE – Il faut avouer que ce bonhomme Gorgibus est un vrai lourdaud de se laisser tromper de la sorte. *(Apercevant Gorgibus.)* Ah ! ma foi, tout est perdu : c'est à ce coup que voilà la médecine renversée, mais il faut que je le trompe.

SCÈNE 11. SGANARELLE, GORGIBUS

GORGIBUS – Bonjour, Monsieur.

SGANARELLE – Monsieur, votre serviteur. Vous voyez un pauvre garçon au désespoir ; ne connaissez-vous pas un médecin qui est arrivé depuis peu en cette ville, qui fait des cures admirables ?

GORGIBUS – Oui, je le connais : il vient de sortir de chez moi.

SGANARELLE – Je suis son frère, Monsieur ; nous sommes gémeaux ; et comme nous nous ressemblons fort, on nous prend quelquefois l'un pour l'autre.

GORGIBUS – Je [me] dédonne au diable si je n'y ai été trompé. Et comme vous nommez-vous ?

SGANARELLE – Narcisse, Monsieur, pour vous rendre service. Il faut que vous sachiez qu'étant dans son cabinet, j'ai répandu deux fioles d'essence qui étaient sur le bout de sa table ; aussitôt il s'est mis dans une colère si étrange contre moi, qu'il m'a mis hors du logis, et ne me veut plus jamais voir, tellement que je suis un pauvre garçon à présent sans appui, sans support, sans aucune connaissance.

GORGIBUS – Allez, je ferai votre paix : je suis de ses amis, et je vous promets de vous remettre avec lui. Je lui parlerai d'abord que je le verrai.

SGANARELLE – Je vous serai bien obligé, Monsieur Gorgibus *(Sganarelle sort et rentre aussitôt avec sa robe de médecin).*

Le Médecin volant, scènes 9, 10 et 11.

LES PRÉCIEUSES RIDICULES

Cette comédie en dix-sept scènes a été représentée pour la première fois au théâtre du Petit-Bourbon le 18 novembre 1659. Cathos et Magdelon se piquent de bel esprit et de délicatesse. Elles ont éconduit La Grange et Du Croisy, leurs amants, sous prétexte que ceux-ci, manquant de raffinement, étaient indignes d'elles. Furieux, les deux jeunes gens décident de leur donner une leçon : ils leur envoient leurs valets, Jodelet et Mascarille, déguisés en vicomte et en marquis. Mais ceux-ci prennent leur rôle un petit peu trop à cœur...

SCÈNE 13. DU CROISY, LA GRANGE, MASCARILLE, ETC.

LA GRANGE – Ah ! ah ! coquins, que faites-vous ici ? Il y a trois heures que nous vous cherchons.

MASCARILLE, *se sentant battre* – Ahy ! ahy ! ahy ! vous ne m'aviez pas dit que les coups en seraient aussi.

JODELET – Ahy ! ahy ! ahy !

LA GRANGE – C'est bien à vous, infâme que vous êtes, à vouloir faire l'homme d'importance.

DU CROISY – Voilà qui vous apprendra à vous connaître.

(Ils sortent.)

SCÈNE 14. MASCARILLE, JODELET, CATHOS, MAGDELON, ETC.

MAGDELON – Que veut donc dire ceci ?

JODELET – C'est une gageure.

CATHOS – Quoi ! vous laisser battre de la sorte !

MASCARILLE – Mon Dieu, je n'ai pas voulu faire semblant de rien ; car je suis violent, et je me serais emporté.

MAGDELON – Endurer un affront comme celui-là, en notre présence !

MASCARILLE – Ce n'est rien : ne laissons pas d'achever. Nous nous connaissons il y a longtemps ; et entre amis, on ne va pas se piquer pour si peu de chose.

SCÈNE 15. DU CROISY, LA GRANGE, MASCARILLE, JODELET, MAGDELON, CATHOS, ETC.

LA GRANGE – Ma foi, marauds, vous ne vous rirez pas de nous, je vous promets. Entrez, vous autres.

MAGDELON – Quelle est donc cette audace, de venir nous troubler de la sorte dans notre maison ?

DU CROISY – Comment, Mesdames, nous endurerons que nos laquais soient mieux reçus que nous ? qu'ils viennent vous faire l'amour à nos dépens, et vous donnent le bal ?

MAGDELON – Vos laquais ?

LA GRANGE – Oui, nos laquais : et cela n'est ni beau ni honnête de nous les débaucher comme vous faites.

MAGDELON – Ô ciel ! quelle insolence !

[...]

Les Précieuses ridicules, scènes 13, 14 et 15.

LE SICILIEN OU L'AMOUR PEINTRE

Cette comédie en dix-neuf scènes a été représentée pour la première fois à Saint-Germain-en-Laye, par ordre du roi, au mois de janvier 1667.
La belle Isidore est retenue captive par le jaloux Dom Pèdre, qui est amoureux d'elle. Adraste est également épris de la jeune fille. Aidé de son valet Hali, déguisé en gentilhomme espagnol, tandis que lui-même se présente comme le peintre chargé de faire le portrait d'Isidore, il tente de tromper la vigilance de Dom Pèdre.

SCÈNE 12. HALI, *vêtu en Espagnol*, DOM PÈDRE, ADRASTE, ISIDORE

DOM PÈDRE – Que veut cet homme-là ? et qui laisse monter les gens sans nous en venir avertir ?

HALI – J'entre ici librement ; mais, entre cavaliers, telle liberté est permise. Seigneur, suis-je connu de vous ?

DOM PÈDRE – Non, seigneur.

HALI – Je suis Dom Gilles d'Avalos, et l'histoire d'Espagne vous doit avoir instruit de mon mérite.

DOM PÈDRE – Souhaitez-vous quelque chose de moi ?

HALI – Oui, un conseil sur un fait d'honneur. Je sais qu'en ces matières il est malaisé de trouver un cavalier plus consommé que vous ; mais je vous demande pour grâce que nous nous tirions à l'écart.

DOM PÈDRE – Nous voilà assez loin.

ADRASTE, *regardant Isidore* – Elle a les yeux bleus.

HALI – Seigneur, j'ai reçu un soufflet : vous savez ce qu'est un soufflet, lorsqu'il se donne à main ouverte, sur le beau milieu de la joue. J'ai ce soufflet fort sur le cœur : et je suis dans l'incertitude si, pour me venger de l'affront, je dois me battre avec mon homme, ou bien le faire assassiner.

DOM PÈDRE – Assassiner, c'est le plus court chemin. Quel est votre ennemi ?

HALI – Parlons bas, s'il vous plaît.

ADRASTE, *aux genoux d'Isidore, pendant que Dom Pèdre parle à Hali* – Oui, charmante Isidore, mes regards vous le disent depuis plus de deux mois, et vous les avez entendus : je vous aime plus que tout ce que l'on peut aimer, et je n'ai point d'autre pensée, d'autre but, d'autre passion, que d'être à vous toute ma vie.

Le Sicilien ou l'Amour peintre, scène 12.

Le Bourgeois gentilhomme

Cette comédie-ballet en cinq actes a été créée pour le divertissement du roi et représentée pour la première fois, à Chambord, devant la cour, au mois d'octobre 1670.
Le bourgeois, Monsieur Jourdain, s'est mis en tête de devenir noble et de ne fréquenter que des gens possédant des titres de noblesse. Pour cette raison, il refuse d'accorder sa fille Lucile

à Cléonte : celui-ci n'est pas de haute naissance. Pour vaincre ce refus, Cléonte et son valet Covielle se déguisent, le premier en fils du Grand Turc, le second en interprète. Le fils du Grand Turc est – dit l'interprète – amoureux de Lucile ; il veut l'épouser et faire de Monsieur Jourdain un *Mamamouchi*.

ACTE IV, SCÈNE 3. COVIELLE, *déguisé*, MONSIEUR JOURDAIN, LAQUAIS

[...]

COVIELLE – Enfin, pour achever mon ambassade, il vient vous demander votre fille en mariage ; et pour avoir un beau-père qui soit digne de lui, il veut vous faire *Mamamouchi*, qui est une certaine grande dignité de son pays.

MONSIEUR JOURDAIN – *Mamamouchi* ?

COVIELLE – Oui, *Mamamouchi* ; c'est-à-dire, en notre langue, Paladin. Paladin, ce sont de ces anciens... Paladin enfin. Il n'y a rien de plus noble que cela dans le monde, et vous irez de pair avec les plus grands seigneurs de la terre.

MONSIEUR JOURDAIN – Le fils du Grand Turc m'honore beaucoup, et je vous prie de me mener chez lui pour lui faire mes remerciements.

COVIELLE – Comment ? le voilà qui va venir ici.

MONSIEUR JOURDAIN – Il va venir ici ?

COVIELLE – Oui ; et il amène toutes choses pour la cérémonie de votre dignité.

MONSIEUR JOURDAIN – Voilà qui est bien prompt.

COVIELLE – Son amour ne peut souffrir aucun retardement.

MONSIEUR JOURDAIN – Tout ce qui m'embarrasse ici, c'est que ma fille est une opiniâtre, qui s'est allée mettre dans la tête un certain Cléonte, et elle jure de n'épouser personne que celui-là.

COVIELLE – Elle changera de sentiment quand elle verra le fils du Grand Turc ; et puis il se rencontre ici une aventure merveilleuse, c'est que le fils du Grand Turc ressemble à ce Cléonte, à peu de choses près. Je viens de le voir, on me l'a montré ; et l'amour qu'elle a pour l'un pourra passer aisément à l'autre, et... Je l'entends venir ; le voilà.

SCÈNE 4. CLÉONTE, *en Turc, avec trois pages portant sa veste,* MONSIEUR JOURDAIN, COVIELLE, *déguisé*

CLÉONTE – *Ambousahim oqui boraf, Jordina, salamalequi.*

COVIELLE – C'est-à-dire : « Monsieur Jourdain, votre cœur soit toute l'année comme un rosier fleuri. » Ce sont façons de parler obligeantes de ces pays-là.

MONSIEUR JOURDAIN – Je suis très humble serviteur de Son Altesse Turque.

COVIELLE – *Carigar camboto oustin moraf.*

CLÉONTE – *Oustin yoc catamalequi basum base alla moran.*

COVIELLE – Il dit « que le Ciel vous donne la force des lions et la prudence des serpents » !

MONSIEUR JOURDAIN – Son Altesse Turque m'honore trop, et je lui souhaite toutes sortes de prospérités.

COVIELLE – *Ossa binamen sadoc babally oracaf ouram.*

CLÉONTE – *Bel-men.*

COVIELLE – Il dit que vous alliez vite avec lui vous préparer pour la cérémonie, afin de voir ensuite votre fille, et de conclure le mariage.

MONSIEUR JOURDAIN – Tant de choses en deux mots ?

COVIELLE – Oui, la langue turque est comme cela, elle dit beaucoup en peu de paroles. Allez vite où il souhaite.

Le Bourgeois gentilhomme, acte IV, scènes 3 et 4.

LE MALADE IMAGINAIRE

Cette comédie en trois actes, avec des intermèdes musicaux et dansés, a été représentée pour la première fois au théâtre du Palais-Royal le 10 février 1673.

Argan, éternellement persuadé d'être malade, vit dans l'attente des médecins, des apothicaires et de leurs ordonnances.

Il a même décidé que sa fille Angélique épouserait le fils de son médecin. Mais Angélique aime un autre jeune homme.

La servante Toinette décide de venir en aide aux amoureux.

Pour cela, elle se déguise en médecin.

ACTE III, SCÈNE 8. TOINETTE, *en médecin*, ARGAN, BÉRALDE

TOINETTE – Monsieur, agréez que je vienne vous rendre visite et vous offrir mes petits services pour toutes les saignées et les purgations dont vous aurez besoin.

ARGAN – Monsieur, je vous suis fort obligé. Par ma foi ! voilà Toinette elle-même.

TOINETTE – Monsieur, je vous prie de m'excuser, j'ai oublié de donner une commission à mon valet ; je reviens tout à l'heure.

ARGAN – Eh ! ne diriez-vous pas que c'est effectivement Toinette ?

BÉRALDE – Il est vrai que la ressemblance est tout à fait grande. Mais ce n'est pas la première fois qu'on a vu de ces sortes de choses, et les histoires ne sont pleines que de ces jeux de la nature.

ARGAN – Pour moi, j'en suis surpris, et…

SCÈNE 9. TOINETTE, ARGAN, BÉRALDE

TOINETTE *quitte son habit de médecin si promptement qu'il est difficile de croire que ce soit elle qui a paru en médecin* – Que voulez-vous, Monsieur ?

ARGAN – Comment ?

TOINETTE – Ne m'avez-vous pas appelée ?

ARGAN – Moi ? non.

TOINETTE – Il faut donc que les oreilles m'aient corné.

ARGAN – Demeure un peu ici pour voir comme ce médecin te ressemble.

TOINETTE, *en sortant, dit* – Oui, vraiment, j'ai affaire là-bas, et je l'ai assez vu.

ARGAN – Si je ne les voyais tous les deux, je croirais que ce n'est qu'un.

BÉRALDE – J'ai lu des choses surprenantes de ces sortes de ressemblances, et nous en avons vu de notre temps où tout le monde s'est trompé.

ARGAN – Pour moi, j'aurais été trompé à celle-là, et j'aurais juré que c'est la même personne.

Le Malade imaginaire, acte III, scènes 8 et 9.